CÓMO COMPARTIR TU FE

PAUL E. LITTLE

Publicaciones Andamio
Alts Forns nº 68, Sót. 1º
08038 Barcelona
T. 93 432 25 23
editorial@publicacionesandamio.com
www.publicacionesandamio.com

Publicaciones Andamio es la sección editorial de los Grupos
Bíblicos Unidos de España (GBU)

Cómo compartir tu fe
© 2011 Paul E. Little

Traducción: Gisela Muñoz
Diseño cubierta e interior: Stephanie Williams

Depósito Legal: B. 1953-2013
ISBN: 978-84-15189-25-1
Printed by Ulzama Digital
Printed in Spain

© Publicaciones Andamio 2011
1ª Edición Junio 2011

Este libro protege el entorno

CÓMO COMPARTIR TU FE

PAUL E. LITTLE

PRÓLOGOS DE JAMES F. NYQUIST
Y LEIGHTON FORD

gbuconecta

ANDAMIO

ÍNDICE

PRÓLOGO

Paul Little fue un evangelista dinámico que inspiró y entrenó a varias generaciones de estudiantes y profesores universitarios en el tema de compartir su fe por medio de sus historias y su humor. ¿Quién diría que se había graduado en la prestigiosa Escuela de Finanzas de Wharton?

Aunque no lo puedas creer, el grado universitario de Paul Little es de Contabilidad. El personal de *InterVarsity Christian Fellowship* (IVCF) proviene de una gran variedad de disciplinas académicas - desde la agricultura hasta la zoología. ¿Pero no son los contables gente dotada en matemáticas y que se comunica principalmente mediante figuras arcaicas? Quizás si miramos los títulos de los libros que Paul ha escrito nos daremos cuenta de que algunas de las herramientas básicas del aprendizaje sobrepasan todas las fronteras. ¿Cómo? ¿Por qué? ¿Qué? ¿Quién? Estas cuatro preguntas nos demuestran que Paul pensó bastante sobre qué creencias son importantes y cómo se deben comunicar.

En la época de Paul, la meta de InterVarsity se resumía en una frase sencilla: "Conocer a Cristo y darle a conocer." Los empleados del grupo aprovechaban las oportunidades para tener muchas conversaciones en las residencias de estudiantes, asociaciones estudiantiles y aulas universitarias. La experiencia de Paul y su gran sentido del humor le suministraban de múltiples ilustraciones cautivadoras que usaba para ayudar incluso a los cristianos más tensos a compartir su fe con los que aún no eran cristianos. Vas a encontrar que estos libros están sazonados con una buena variedad de estas historias.

Ese estilo tan dinámico de conversar de Paul no sólo incluía su voz, sino también sus manos. Él hablaba y gesticulaba hasta mientras conducía, y todos los que alguna vez subimos con él a su coche rogábamos en silencio que al menos una de sus manos se mantuviera sobre el volante, y todos descubrimos que, en ocasiones, ¡Paul necesitaba ambas manos para enfatizar lo que decía!

A mediados de los años sesenta, yo estaba a cargo de la editorial de InterVarsity (InterVarsity Press, "IVP") y recibimos unas grabaciones de una serie de charlas de Paul acerca de la evangelización. En aquellos días, todavía se usaban las grabadoras de bobinas y la transcripción de grabaciones se hacía muy pesado, por lo cual nos preguntamos si merecía la pena transcribir estas charlas para publicarlas. Una vez escuchamos las grabaciones, no hubo que pensarlo más, ya que ese mensaje lleno de humor y anécdotas expresaba exactamente lo que InterVarsity intentaba comunicar a todos sus estudiantes.

Sin embargo, cuando se transcribe un mensaje oral, este pierde algo de la fuerza que le otorgaban los gestos y el tono de voz, y, por lo tanto, se debe editar con mucho cuidado. En aquel momento, sólo teníamos dos o tres empleados de IVCF trabajando a medio tiempo en los proyectos de IVP, por lo cual contactamos con editores externos para que nos ayudaran. Aun así, tuvimos que esperar varios meses hasta que conseguimos un texto que fuera fácil de leer y así pasamos a publicar este libro, *Cómo compartir tu fe*.

Una vez el libro llegó a estar en manos de los obreros y estudiantes de InterVarsity, muchas personas de distintos trasfondos se interesaron en leerlo. Rápidamente, se convirtió en uno de los libros de mayor venta y abrió camino para otros que le seguirían. Además, le dio credibilidad a InterVarsity Press y demostró que era una editorial que podía alcanzar a muchos sectores de la sociedad, más allá del mundo universitario.

El ministerio de Paul continúa a través de sus libros y de la labor eficaz de su esposa, Marie Little, a quien llegarás a conocer un poco al leer los libros de Paul. Durante muchos años, ella enseñó e inspiró a los nuevos miembros de la iglesia Willow Creek Community Church en Barrington, Illinois. Marie también goza del don de la enseñanza y es una comunicadora del mismo calibre que Paul.

Recuerdo cuando Paul y Marie vinieron a una pequeña fiesta en nuestra casa.

Se sentaron uno al lado del otro en el sofá, ambos riendo y hablando a la misma vez con todos los que le escucharan. No te sé decir cuál de los dos se ganó mayor atención ese día, pero hoy quiero animarte a que les escuches a ambos mientras lees este libro tan valioso.

James F. Nyquist
Downers Grove, Illinois
Septiembre 2007

PRÓLOGO

La publicación de libros cristianos ha aumentado muy rápidamente en los últimos veinticinco años. Hoy día, se estima que se editan más de dos mil títulos nuevos cada año.

La pregunta es: ¿Cuántos de estos libros serán realmente leídos, y cuántos lograrán mantenerse más de uno o dos años? De manera que, cuando un libro se vuelve a publicar después de haber pasado un cuarto de siglo, eso te dice algo sobre su importancia.

Recuerdo bien una conferencia para jóvenes que tuvimos en Moncton, New Brunswick, Canadá, durante las vacaciones de Navidad en 1963. Varios cientos de jóvenes se reunieron para un encuentro especial navideño. Paul Little fue uno de los conferenciantes. Tengo en mi oficina una fotografía clásica en la que Paul y otros miembros del equipo aparecemos bastante agotados después de un partido de baloncesto durante esa conferencia.

Una de las noches, después de terminar las actividades del día, nos juntamos algunos a la mesa para cenar. Paul nos contaba que había escrito un libro sobre evangelización y que estaba buscando algún título que resultara llamativo. Resulta que yo acababa de leer un mensaje de Robert Spear, el gran líder misionero de principios de siglo. Robert Spear solía decirle a su público: "¿Dices que tienes fe en Cristo? Pues regálala o deséchala." Comenzamos a coquetear con esa idea. Si mal no recuerdo, sugerí el título "Cómo compartir tu fe" y finalmente salió el libro con su título actual.

Cuento esto, no meramente por rememorar, sino porque estoy muy agradecido por haber podido hacer una pequeña aportación a lo que hoy día permanece como un clásico de la evangelización personal.

Paul Little fue uno de mis amigos más cercanos. Trabajamos juntos en la misión universitaria. En 1974, se celebró el Congreso Internacional de Evangelización Mundial en Lausana, en el cual Paul fue director de programa y yo, presidente de programación. El siguiente verano, cuando él murió en un accidente de tráfico, me pidieron que hablara en su entierro y fue una de las experiencias más difíciles y conmovedoras de mi vida.

No sólo quise y aún quiero a Paul y a su esposa Marie, sino que además aprendí muchísimo de él. Todavía acudo a este libro para refrescar mi mente con esas ideas, perspectivas, historias y acercamientos que caracterizaban a Paul.

A través de los años, he recomendado este libro a cientos de personas y sé que muchas se han beneficiado del mismo. De manera que es un verdadero privilegio para mí poder escribir una introducción a esta edición revisada. Estoy agradecido a Marie, la esposa de Paul, quien lo ha actualizado, incluyendo algunos materiales de Paul que no habían sido publicados antes, y le ha añadido unas ilustraciones, incluso una que habla de mi propio hijo, Sandy.

Además, felicito a los editores por publicar esta nueva edición. Mi oración es que Dios use este libro para motivar, instruir y dirigir a los creyentes de esta generación para que compartan una fe viva con sus amigos y compañeros, aquí y alrededor del mundo, con personas que tienen en su corazón un hambre profunda de Dios, pero que aún no saben qué es lo que tanto anhelan.

Uno de los mensajes favoritos de Paul era sobre David, quien "sirvió a Dios en su propia generación y luego durmió". Paul ahora duerme. Sirvió a Dios en su propia generación. Pido a Dios que use este libro para ayudar a los creyentes de esta generación a ser testigos activos, auténticos y convincentes de Jesucristo.

Leighton Ford
Charlotte, Carolina del Norte

PREFACIO

Llevo ocho meses involucrada en la difícil tarea de interferir con una obra genial. Al menos, así me he sentido mientras he luchado por actualizar un libro que ha vendido un millón de copias y que aún se sigue vendiendo.

Creo que tengo razón al usar la palabra *genial* para describir a mi esposo, Paul. A diferencia de muchos evangelistas "de butaca", Paul hizo lo que muchos de nosotros quisiéramos poder hacer. Él logró que el mensaje cristiano se tornara comprensible y vivo para los estudiantes y otras personas que conocía mientras visitaba a cientos de universidades alrededor del mundo. Un amigo le decía con cariño que Paul era un "evangelista sin hábito y sin pompa". Él no se limitaba a hablar sobre cómo testificar; ¡lo hacía! Y el libro originalmente surgió de esas lecciones que fue aprendiendo en su evangelización perseverante. Él describió este libro como uno "de instrucción, no exhortación" para la evangelización.

Hoy, dos décadas más tarde, permanecen firmes los fundamentos que Paul enseñó mediante ilustraciones esclarecedoras, y estas bases siguen siendo notablemente útiles. Son, además, atemporales; quizás se adelantaron a los tiempos. Hace veinte años, Paul nos dijo cómo podíamos responderle a un hombre que afirma que tener un huevo frito en su oreja le produce gozo, paz y felicidad. Su respuesta bien podría servirnos hoy día para responderle a alguien que dice que un cristal colgado de su cuello le brinda luz y vida.

Esa sólida pertinencia de Paul, así como lo práctico que resultó su libro, nos convenció, a los editores de IVP y a mí, de que valía la pena actualizar *Cómo compartir tu fe...* y que debía aprovecharse al máximo su potencial. El cambio cultural que ocurrió entre la década del sesenta y la de los noventa fue tal, que algunas de las citas y los ejemplos de aplicación han quedado obsoletos. Además, yo sabía que en las notas y las grabaciones de Paul había un contenido que él había querido incluir algún día en una secuela a su libro.

Afortunadamente, Paul nos dejó una gran riqueza de material suyo, lo cual posibilitó una revisión como esta. Los editores me animaron a buscar entre sus grabaciones y archivos, y, al hacerlo, descubrí trabajos aún sin publicar, clásicos de Paul Little. Sus grabaciones originales de "El embajador eficaz" (que luego se convirtieron en una presentación de diapositivas) ayudaron a ampliar el capítulo dos. Además, hemos incluido otras novedades:

- tres preguntas para descubrir dónde están las personas en su caminar espiritual,
- instrucciones sobre cómo realizar el seguimiento de un cristiano nuevo,
- cómo disipar algunos de los mitos acerca del cristianismo,
- muchas ilustraciones de verdades prácticas.

En cada caso, he procurado mantener la fuerza que Paul le dio a su libro y he mantenido cada una de las expresiones que van sazonadas con su sabor particular. Aún así, mi propia investigación y mis experiencias saldrán a relucir en ciertas referencias a eventos actuales.

Si Paul estuviera vivo, seguramente se cuestionaría el valor del libro original y la utilidad de mis esfuerzos por preservarlo. Diría algo como: "No estoy demasiado seguro de que esas palabras sean inmortales." En este caso, tendría yo que discrepar, pues la realidad es que, cuanto más meditaba sobre su material, más aumentaba mi motivación de testificar sobre el poder transformador de Jesucristo. Mi oración sincera es que cada lector pueda responder de la misma forma.

Hubo un descubrimiento que ayudó a disipar mis temores e inseguridades acerca de este proyecto. Me enteré de que todos los escritos tan famosos de Oswald Chambers se publicaron después de su muerte. Su esposa tomó notas de todas sus charlas entre el 1907 y el 1917, y fue de esas notas de donde surgieron todos los libros de Chambers después de su fallecimiento a sus cuarenta y tantos años. Paul tenía menos de cincuenta años cuando nos fuimos a unas vacaciones familiares y un accidente automovilístico se lo llevó al cielo. Hay un paralelo evidente entre nuestras historias. El ejemplo de esta viuda me sirvió como un mensaje del Señor, animándome a asumir el reto de este proyecto. Ahora, con esta edición, mi oración es que todos los que la lean lleguen a la firme convicción que tenía Paul mismo: que "el favor más grande que le puedes hacer a los demás es presentarles a Jesucristo".

Marie Little
Prospect Heights, Illinois

01 EL FUNDAMENTO ESENCIAL

¿Quieres evangelizar? Yo también quería hacerlo, pero no tenía la menor idea de cómo hacerlo sin lastimarme en el proceso.

Y tú, ¿qué? ¿Sabes cómo lograr que las buenas nuevas sean relevantes? ¿Sabes cómo comunicarte con personas ajenas al evangelio? ¿Cómo le hablas de Jesús…

- al estudiante de Religión que se burla de tu defensa de las enseñanzas bíblicas y te responde con un: "Ya, pero tío, ¡estamos en el siglo XXI!"?
- al encargado esforzado y trabajador de la gasolinera de tu barrio?
- al antiguo empleado de la oficina, a quien han reemplazado por un sistema informático?
- al estudiante de instituto que está a punto de dejar el colegio porque tiene problemas con las drogas?
- al chico juerguista e indiferente que vive en el piso de al lado?
- a esa chica que sabes que siempre ha recibido todo lo que ha querido?
- a los más cercanos a ti: tu familia, tus amigos, tus vecinos?
- al hombre de la calle que sería una de los 150 millones de víctimas durante las primeras dieciocho horas de una guerra nuclear?
- al ama de casa que, atrapada por las exigencias de su hogar,

sus niños pequeños y sus muchos deberes cívicos, lucha por
mantenerse a flote?

* a la víctima del divorcio o del abuso, que ya no logra confiar en
nadie?

* al médico que acaba de fertilizar un óvulo humano en un laboratorio y lo ha introducido en un útero alquilado?

* al profesional de tu oficina que va ascendiendo por la escalera
del éxito?

Es fácil citar "porque de tal manera amó Dios al mundo…", pero ¿qué
significan estas palabras? ¿Qué puedes decir de esto que tenga
sentido para estas personas en sus vidas cotidianas?

EL REALISMO ES ESENCIAL

Para comenzar, debemos ser realistas acerca del mundo en que
vivimos. Los tiempos están cambiando más rápidamente que nunca
en la historia. Aunque Jesucristo es el mismo- ayer, hoy y siempre-,
estos cambios matizan las actitudes y la receptividad de las personas
a quienes evangelizamos.

Mi generación se crió jugando a los vaqueros y los indios, a ladrón
y policía, con muñecas de trapo y de papel. Hoy día, los niños viven
con el incesante ruido de la tele de fondo, donde elaboradas fantasías
son protagonizadas por monstruos, fantasmas y "transformers". Mientras van creciendo, los niños acaban casi totalmente sumergidos en un
mar de videojuegos y música electrónica.

Los adultos de hoy también tienen sus propios juguetes electróni-
cos; cada año llegan unos nuevos y los del año pasado quedan obsoletos. Además, la explosión de la información ha convertido al mundo
entero en una sola "aldea global" y nos ha dado a todos un asiento
de primera fila desde donde podemos observar todos los grandes
sucesos que ocurren alrededor del mundo. Como resultado, las personas están expuestas a una amplia gama de culturas y normas; sólo les
corresponde elegir qué quieren creer. Y junto a todo esto, los medios

de información nos bombardean constantemente con imágenes de un futuro lleno de ingeniería genética, de investigaciones sobre nuestros códigos cerebrales y de máquinas ecológicas que lograrán extraer alimento de la luz solar y del aire. El cambio más universal en los años recientes es, sin lugar a dudas, la digitalización y miniaturización de todas las áreas de la vida.

Sin embargo, a pesar de que hemos avanzado a pasos agigantados hacia la meta de moldear y conquistar al universo, el futuro de la civilización cada vez se ve menos certero. ¿Será inevitable que la raza humana sea destruida por una guerra nuclear? ¿Se verá amenazada la vida humana sobre la tierra debido al deterioro ecológico? Y aunque derrotemos a otras amenazas, ¿traerá el SIDA una muerte lenta y dolorosa? ¿Cuál será el futuro de la familia, institución que se halla en proceso de desintegración?

Todo esto nos recuerda al niño que dijo: "Si llego a ser mayor, quisiera ser…" Tras su declaración, se esconde una pregunta crucial: ¿Sobreviviremos nosotros y nuestro país? Hasta hace poco, la moda había sido acudir a los asombrosos adelantos de la ciencia y la tecnología. Dondequiera que miremos, nos encontramos con algún artefacto de alta tecnología: en la fábrica, en la oficina, en casa. Esas cajitas milagrosas de plástico nos han seducido y convencido de que la tecnología puede solucionarlo todo. Pero la realidad es que esta fracasa en el aspecto más fundamental, en nuestra necesidad de contacto personal y de cariño. ¡No sólo de tecnología vivirá el hombre! Y nuestro consumismo obsesivo tampoco nos brindará el consuelo que tanto deseamos. Un artista de cine dijo una vez: "¿Cuántas tostadoras puede usar una sola persona?"

Hoy día, una cantidad alarmante de personas buscan respuestas sinceras en los nuevos movimientos de potencial humano y autoayuda. Si los analizamos bien, estos remedios instantáneos no son tan inocentes. Prometen motivación y eficacia personal a través de técnicas orientales de control mental que aparentemente parecen inofensivas, pero que, en el fondo, se basan en valores ajenos al Cristianismo. En algunos de estos grupos, los participantes se cuentan historias sobre vidas pasadas, utilizando trances, mantras, médiums y cristales de adivinación, a menudo sin que se logren detectar sus raíces hindúes y ocultistas. Además, fomentan la anarquía moral, pues cada persona busca su propia verdad, ignorando felizmente la verdad revelada por Dios. Su base filosófica es el monismo: todos somos dioses, la humanidad es dios y todas las religiones son iguales. El hecho de que este movimiento haya logrado tantos adeptos nos demuestra que hay un creciente vacío en las vidas de las personas que están tanteando y buscando alguna fuente de salvación.

¿Salvación? ¿De qué? Entre la juventud se habla de soledad y aislamiento. En la década de los sesenta, los jóvenes comenzaron su búsqueda con manifestaciones y revoluciones.

A su manera, esperaban encontrar algún sentido a la vida. Los años setenta dieron paso a la generación narcisista del "yo" y esta, a su vez, engendró a los jóvenes de los ochenta, una generación que parecía estar satisfecha con vivir en una sociedad materialista y sin valores.

Lee la siguiente descripción del mundo universitario de esta década:

> Casi todos los estudiantes que entran a la universidad creen o dicen creer que la verdad es relativa. No le temen al error, sino más bien a la intolerancia. Se preguntan: "¿Con qué derecho voy a decir que una [cultura o religión] es mejor que otra?"... Lo que está ocurriendo es una entropía espiritual, la evaporación de la sangre que hierve en el alma. ... El respeto por lo sagrado, por la verdadera religión y por el conocimiento de la Biblia ha disminuido hasta el punto de desvanecerse. [1]

Esto no lo ha dicho un predicador evangélico, sino el profesor Allan Bloom, de la Universidad de Chicago.

---

[1]   Allan Bloom, The Closing of the American Mind (New York: Simon and Schuster, 1987), págs. 26, 56.

Esta entropía espiritual, como la llama Bloom, ha penetrado todos los niveles de nuestra sociedad. Los estudiantes americanos de instituto, por ejemplo, le dan gran importancia a la celebridad. En una encuesta de 1987 del *Almanaque Mundial*, se les pidió que nombraran a diez héroes suyos. En orden de preferencia, los ganadores fueron: Bill Cosby, Sylvester Stallone, Eddie Murphy, Ronald Reagan, Chuck Norris, Clint Eastwood, Molly Ringwald, Rob Lowe, Arnold Schwarzenegger y Don Johnson. [2] Con la excepción del Presidente Reagan, todos son actores o artistas. Para los chicos de instituto, la conclusión es clara: si no eres famoso (ni andas en el mundo del espectáculo), no eres nadie. Y la implicación también es que ellos los admiran y quisieran imitar sus estilos de vida.

Los adultos tampoco están exentos de esta entropía espiritual. El 25 de mayo de 1987, la revista *Time* publicó un reportaje de primera plana acerca de un centenar de funcionarios del gobierno que habían recibido imputaciones por faltas éticas y legales. *Time*, además, nombró a millonarios de Wall Street acusados de manipular millones de dólares para su propio beneficio.

La revista también incluyó una lista espantosa de militares, teleevangelistas y candidatos presidenciales acusados o destronados por tener relaciones ilícitas. Los escritores de *Time* (que no son predicadores) titularon el reportaje: "¿A dónde se fue la ética?"

Estudiantes, profesionales, trabajadores de toda clase de industria, padres, políticos, tus vecinos y los míos… todos se van hundiendo en un mar de valores fluctuantes.

Los adultos de hoy día:

- son trabajadores,
- luchan por obtener seguridad financiera,
- saben ser generosos y ayudar a los demás,
- valoran el placer y el ocio, y los consideran una prioridad,

2   1987 *World Almanac*, pág. 34.

- están comprometidos a apoyar causas que, por lo general, son compatibles con sus intereses personales,
- detestan que se les trate con condescendencia,
- saben detectar con facilidad dobles intenciones en las relaciones,
- se resisten a presiones fuertes de otros grupos,
- si son solteros, puede que acudan a bares en búsqueda de contacto humano y compañía.

En términos de religión, estos adultos:

- confían más en la ciencia que en la religión,
- creen que la pretensión de exclusividad del Cristianismo es extremadamente intolerante,
- se han dado cuenta de que su certeza moral ha disminuido o se ha desvanecido por completo,
- creen que la psicología probablemente ofrece tantas respuestas como la religión,
- ven a Dios como un juez implacable o como un abuelo bonachón y distante,
- creen que la existencia de Dios no es pertinente para sus vidas,
- no suelen considerar la Biblia como una fuente de ayuda,
- se preguntan de vez en cuando si habrá o no algo de verdad en las nuevas sectas,
- ven a los cristianos como si fueran críticos aguafiestas,
- rápidamente, aluden a la hipocresía de supuestos siervos de Dios que aparecen en la tele y timan a sus seguidores.

Estos mismos adultos:

- al graduarse en la universidad, temen no encontrar un trabajo,
- tienen miedo a los riesgos del compromiso o matrimonio,
- dudan de que sus relaciones familiares puedan llegar a ser estables y gratificantes,

- se ven tentados a abandonar los valores tradicionales,

- se enfrentan a una fuerte competencia para alcanzar el éxito,

- tienen miedo a convertirse en la común estadística de personas que se ven desplazadas de sus trabajos al cumplir cuarenta años,

- se preguntan si experimentarán el rechazo cuando pierdan su belleza,

- les preocupa encontrarse solos y discapacitados en su vejez.

Aunque este análisis no es exhaustivo, nos pinta una realidad difícil y nos describe la tierra en la que nos disponemos a sembrar la verdad de Jesucristo. Todas estas tendencias y presiones afectan tanto a cristianos como a aquellos que aún no han puesto su confianza en Jesucristo. Desde luego, con este panorama no he querido decir que los cristianos son una raza santa, libre de todo defecto. ¡De ninguna manera! Nosotros también podemos encontrarnos atrapados por estas presiones y corrientes culturales.

EL CRISTIANISMO ES REALISTA

Los cristianos no podemos vivir con la cabeza en un agujero, ignorando la realidad. Cuando escuchamos noticias de abuso y violencia en nuestros barrios, no nos debería sorprender. Lo importante es que estemos convencidos, sin duda alguna, de que la fe cristiana tiene un mensaje para todos los aspectos de la vida humana, que su verdad ha transformado nuestras vidas y que tiene un valor incalculable para todo el mundo.

La tentación de aislarnos y evitar entender nuestro mundo es semejante a las filosofías que afirman que toda la realidad (incluso el pecado) está en la mente. La fe cristiana no es tan espiritual y enajenada como para negar la realidad de este mundo ni la existencia de la materia. La fe cristiana afirma que las cosas materiales existen; sin embargo, mira más allá de ellas para ver las espirituales, la realidad máxima.

Jesucristo se enfrentó al meollo de este asunto cuando alimentó a los cinco mil con cinco panes y dos peces. Jesús vio la necesidad de la multitud y los alimentó. La gente, asombrada por este milagro, quiso reclutarlo como su líder. ¡Tener un rey así sería genial! Sin embargo, nuestro Señor se alejó de ellos, como solía hacer cuando la gente le seguía por las razones incorrectas. Al día siguiente, cuando le encontraron, él mismo les dijo que sólo le seguían porque habían comido pan hasta saciarse. Luego habló sobre el asunto de lo material y lo espiritual: "Trabajad, no por la comida que perece, sino por la comida que permanece para vida eterna, la cual os dará el Hijo del hombre." (Juan 6:27)

Jesús enseñó que la comida material es real. El hambre es real. El mundo de ciudades y calles, piedras, árboles y personas sí que existe. Pero él quería enfatizar que las realidades espirituales tienen un valor superior, que trascienden y duran más que las materiales. Al final, el mundo espiritual es lo que le da el verdadero sentido al mundo material.

Por supuesto que Jesús sabía que la gente estaba hambrienta. Por eso usó comida real para alimentarlos. No se conformó con orar por ellos y enviarlos con hambre a sus casas. Él los veía como personas completas, no como si fueran meras "almas" flotantes, sin cuerpo ni mente. Él también sabía que sus necesidades físicas y emocionales estaban íntimamente relacionadas con su hambre espiritual. Una vez habían escuchado su mensaje, Jesús les demostró que Él también se preocupaba por sus necesidades materiales. Incluso, en muchos casos, Él suplió primeramente las necesidades físicas.

Esto nos permite ver que Jesús tenía una sensibilidad extraordinaria para percibir las necesidades de las personas, tanto en su trato con multitudes como en sus encuentros individuales. Nos toca preguntarnos qué pasos debemos tomar para seguir su ejemplo. Primero, hemos de ser conscientes de la condición de aquellos que nos rodean, saber si están hambrientos, cansados, aburridos, solos, maltratados o rechazados. Debemos tratar de entender lo que ellos piensan, cómo se sienten y lo que aspiran ser y hacer.

Jamás olvidaré una conversación que tuve con un juez asiático en el comedor de la Universidad de Harvard. Como cristiano, me dijo: "Quisiera que los cristianos occidentales os dierais cuenta de que nosotros en el Oriente hemos vivido los estragos de la guerra, el hambre, el sufrimiento, los conflictos políticos y la pérdida de seres queridos, y, como resultado, llevamos en nuestro corazón una herida profunda. Sé que la esencia del evangelio es el mensaje del amor de Dios y que, a pesar de tener implicaciones sociales, está dirigido principalmente a la necesidad espiritual de redención que tiene el ser humano. Aun así, para nosotros sería muy significativo ver que vosotros entendéis esta herida en nuestros corazones."

Muchas de las personas a nuestro alrededor cargan con esa "herida profunda" en sus corazones. Su respuesta a nosotros y a nuestras buenas noticias va a depender en gran parte de que ellos sientan que realmente les entendemos y nos preocupamos por ellos. Un antiguo proverbio indígena dice que "un hombre no debe decirle nada a otro hombre a menos que haya caminado unos cuantos kilómetros en sus mocasines." Al menos en espíritu, debemos sentarnos y caminar por donde ellos caminan. Una vez podamos repetirles sus pensamientos y sentimientos con nuestras propias palabras, ellos comenzarán a confiar en nosotros. A partir de ese momento, pueden estar dispuestos a pensar seriamente sobre aquellas cosas que nos importan a nosotros.

No nos debe sorprender que, a través de los siglos, Dios haya usado poderosamente a las personas que no sólo conocen bien la Biblia, sino que también conocen bien a otras personas. Así, amando ambas cosas, han logrado que la Palabra se torne relevante para los demás.

Ya que nosotros, como cristianos, tenemos el privilegio de conocer la respuesta a las necesidades de este mundo, este puede ser un buen momento para evangelizar. Seguramente, estamos de acuerdo en que *debemos* evangelizar, incluso que *necesitamos* evangelizar. Pero a la hora de la verdad nos hacemos la gran pregunta: *¿Cómo* debemos evangelizar? ¿Cómo podremos explicarle claramente a este mundo que Jesucristo es relevante hoy día, que Él es la respuesta correcta? ¿Cómo podemos acercarnos a las personas que próximas a nuestras vidas y cómo vamos a esperar que nos escuchen… y nos crean?

COMIENZA CON EL QUE ESTÁ A TU LADO

Para desarrollar la sensibilidad que tenía Jesús, necesitamos tener contacto persona a persona. Como cristianos, debemos dejar de dirigirnos al mundo en su totalidad y concentrar la mirada en la persona que tenemos a nuestro lado. Esto es lo difícil, porque como dice un viejo refrán:

> Amar al mundo no cuesta mucho trabajo;
> lo difícil es amar al que vive a mi lado.

Sin duda, nuestra evangelización se pondrá en marcha cuando empecemos a relacionarnos personalmente con los demás. A menos que dejemos de teorizar y comencemos a llamar a la puerta de nuestros vecinos, jamás llegaremos a la médula de la evangelización. El evangelismo como un estilo de vida se inicia cuando hablamos con las personas que de alguna manera tienen que ver con nuestra vida. No es una relación rápida y superficial y no ocurre de la noche a la mañana. Requiere tiempo y sacrificio y, sobre todo, entrega.

Escucha

Un primer paso que debe resultarnos sencillo es empezar a escuchar a los que nos rodean. ¡He dicho *escuchar*, no *hablar*! Detente el tiempo que sea necesario para poder oír. Puede que te cueste, porque es más fácil ofrecer consejos o hablar de nuestras propias experiencias, que pensar en la otra persona. Si eres tímido por naturaleza, concéntrate en los sentimientos y preocupaciones de las personas que quieres alcanzar. ¿Se sienten incómodos? ¿Se les hace difícil conversar? ¿Cuáles son sus preocupaciones? No te permitas pensar sobre tus propias emociones. Verás que empezarás a proyectar calor y cariño hacia la otra persona. Haz como dijo alguien una vez: "Escucha con tu corazón, no con tu mente."

En mi trabajo con estudiantes universitarios, me gusta sentarme en las aulas de la universidad e interactuar casualmente con todo tipo de estudiantes. Cuando oigo detalles sobre lo que piensan y lo que hacen en su tiempo de ocio, veo el mundo real. De igual forma, cuando viajo, tengo la oportunidad de escuchar a mis compañeros de viaje mientras me hablan de sus vidas lejos de casa. Sus comentarios suelen estar sazonados con una cantidad asombrosa de temores. Es muy revelador. Un hombre dijo una vez que tenía una mujer y una amante, y no lograba entender por qué no era feliz. Este es el mundo real y vale la pena escuchar y aprender. En el proceso, nos ganamos el derecho de contar nuestra propia historia.

En una conversación con un amigo, aprendí una importante lección sobre el esfuerzo que conlleva el arte de escuchar. Teníamos un amigo en común que evidentemente estaba buscando a Dios. De pronto, sentí cariño y preocupación por esa persona y mencioné que quizás lo llamaría. Mi amigo me miró por un largo tiempo y me aconsejó: "Llámalo sólo si estás dispuesto a ser su amigo." Entendí su mensaje. Si mi actitud era: "Bueno, lo llamo y de una vez le doy una inyección del evangelio", mejor olvidarlo. Muchos cristianos evangelizan como si estuvieran ofreciendo una "píldora de Evangelio". Si el que no es cristiano se la toma, encontrará al Salvador. La gente se espanta con esas técnicas "instantáneas" de evangelización.

Infórmate

Además de escuchar, otro paso para los que quieren seguir el ejemplo de Jesús es mantenerse informados acerca del mundo a su alrededor. Esto nos ayudará a todos los que sabemos que, si nos encerraran durante una hora con un no creyente, no tendríamos nada que decir. Leer un periódico semanal, escuchar las noticias de la tarde y aprender sobre las necesidades de nuestra comunidad nos ofrecerá un terreno en común, sobre el cual podemos edificar.

A medida que vayamos expandiendo nuestra base de información, comenzaremos a ver un trozo de la vida que es diferente al nuestro.

Nos ayudará a relacionar el evangelio con situaciones reales y a tocar a la gente donde realmente les duele. La información nos puede ayudar a entender a un colega en el trabajo cuando nos habla acerca de su hijo drogadicto. Nos puede arrojar luz sobre el dilema de la madre soltera que necesita un amigo adulto para su hijo pequeño. Cuando nuestro vecino nos confiese que su hija adolescente ha quedado embarazada, podríamos ofrecerle, además de apoyo en oración, información útil y pertinente. Es natural que los cristianos informados empiecen a querer más a su comunidad y a su mundo. La hermosa consecuencia de esto es que nos encontraremos trabajando mano a mano con ese mundo que Jesús vino a redimir.

¿Qué pueden ofrecer los cristianos?

Hasta ahora hemos estado mirando nuestro mundo actual y analizando las necesidades individuales de los seres humanos en el mismo. Hemos visto cuán importante es que conozcamos y entendamos un poco sobre ambos: el mundo y su gente. Ahora bien, si vamos a ser cristianos realistas, también debemos mirar con detenimiento nuestra propia dimensión espiritual.

¿Qué tenemos para ofrecer? Hace un tiempo, pasé una tarde con una pareja que habrá asistido a nuestra iglesia; iban a casi todas las actividades, pero de repente se alejaron por completo. Algunos de nosotros nos preguntábamos por qué estas personas habían abandonado la comunidad de nuestra iglesia. Mientras conversábamos, discutimos acerca de lo que significa pertenecer a Jesucristo y vivir para Él, y el marido se quedó muy pensativo. Me dijo: "Tú hablas de una relación con Jesús que es sobrenatural. En tu iglesia, algunas personas la tienen y otras, no." De pronto, vi a mi congregación a través de los ojos de un visitante que intentaba buscar ese "algo" intangible, y para él, la diferencia era evidente.

Fuera o no acertada la evaluación de este hombre, las personas que están en una búsqueda espiritual andan examinándonos a nosotros y a nuestros grupos cristianos para encontrar esa dimensión espiritual de la que tanto hablamos. Una declaración superficial no los va a convencer, pues ellos están buscando algo verdadero, una fe viva y genuina. Tristemente, no siempre la ven, ni en nosotros como individuos ni en nuestro colectivo, y esto no se debe a que sean ciegos espiritualmente. A veces, es que sencillamente no está ahí.

¿Hay una diferencia en los cristianos?

El hecho de que afirmamos conocer a Jesucristo, ¿supone una diferencia en nuestra vida diaria? ¿En nuestro manejo del tiempo, del dinero y de nuestras fuerzas? ¿En nuestro sistema de valores? ¿Qué sucede de lunes a sábado? Si somos estudiantes, ¿cómo afecta a la manera en la que estudiamos o las razones por las cuales estamos estudiando? Esa fe que decimos tener, ¿conlleva alguna diferencia en nuestras relaciones con el sexo opuesto? ¿Acaso rehusamos consentirnos excesivamente y explotar a los demás? Más aún, ¿cómo respondemos si hemos sido defraudados o lastimados? Cuando las cosas andan mal, ¿ven nuestros amigos una actitud de honestidad y sinceridad en nosotros que ellos quisieran tener? ¿O más bien dirían (como bien han hecho algunos, y con razón): "Tengo suficientes problemas propios; no me molestes con los tuyos."? En última instancia, ¿se ven afectadas mis decisiones de vida- elegir una carrera, una profesión, una universidad, una pareja, un trabajo- por el hecho de conocer a Jesús?

El cristiano ocupado

De la misma manera que a los profesores y estudiantes universitarios se les acusa con frecuencia de vivir en una "torre de marfil", el cristiano corriente corre el riesgo de llevar un estilo de vida enajenado. Puede encontrarse aislado por la multitud de actividades de la iglesia, a veces hasta cinco noches por semana: reuniones de oración, grupos de niños, ministerios de música, reuniones de planificación, de diáconos y todo lo demás. Son actividades muy respetables, pero el cristiano puede que se encuentre sin tiempo alguno para dedicarlo al mundo no creyente. Piensa en alcanzar a su mundo, pero está tan atareado, que no puede tomar acción alguna. Todos hemos tenido la experiencia de querer testificar, pero, a la vez, saber que nadie nos está escuchando. El mundo escuchará nuestro mensaje cuando vean que nuestro oído está sintonizado y atento.

No más cristianos falsos

Jamás podremos venderle soluciones falsas a nuestros compañeros que no son cristianos. Están cansados de los farsantes, y no se dejan engañar por las personas piadosas cuya religión sólo es externa. No los podremos alcanzar a la fuerza, ni con fórmulas superficiales. Tampoco les atraen los soñadores ingenuos que no saben encarar las duras realidades de la maldad, la debilidad, la tentación o la avaricia. Lo que buscan es algo genuino, algo que les brinde algún sentido del mundo real. Un cristianismo realista sólo se puede lograr si los cristianos demuestran evidencias en sus propias vidas de que Jesucristo les ha rescatado, de que Jesús es una realidad viva y diaria para ellos.

Tres tipos de fe

Cuando consideramos qué cosas podemos ofrecerle a nuestro mundo, puede que te hayas sentido frío o indeciso sobre tu propia fe, sin una motivación fuerte para evangelizar. Permíteme sugerirte una posibilidad que quizás te parezca alarmante: tal vez tu fe sea meramente un producto secundario de tu entorno, y no algo interno.

En todos nuestros grupos cristianos, vemos que las personas tienen diversos grados de compromiso. Yo diría que hay tres categorías principales. Primero, hay personas que tienen "fe por adoctrinamiento". Estas son personas que, sin haber hecho un compromiso personal con Cristo, siguen toda la liturgia, cantan todos los himnos, tienen todas las respuestas correctas acerca del evangelio. Desde la niñez, han sido entrenados en la escuela dominical y nunca se han perdido un servicio de la iglesia.

La fe por adoctrinamiento puede describir a los niños que han ganado todos los juegos de preguntas bíblicas y que pueden citar a Juan 3:16 en cinco idiomas. Se han empapado de todas las respuestas que han escuchado, pueden dar clases e incluso sermones.

Poseen toda la información, pero no tienen nada más. Esto es fe por adoctrinamiento.

La segunda categoría es la de las personas que tienen "fe de conformidad". Esta fe es principalmente el producto de un entorno cristiano fuerte. Los domingos, estas personas van a la escuela bíblica y a los cultos de adoración, y escuchan la exposición de la Palabra. Durante la semana, asisten a otras reuniones de la iglesia y contribuyen como todas las demás personas. Puede que hagan las cosas correctas y ninguna de las incorrectas, pero sólo por la presión externa de la familia y la iglesia. Es como si una especie de ósmosis misteriosa convirtiera a estas personas en "espirituales", pero, en realidad, no hay un deseo interno genuino.

Cuando una persona con una fe de conformidad se encuentra sola y con libertad para decidir qué hacer, se despoja de su fe como si esta fuera un abrigo pesado. Si va a la universidad en otra ciudad, cambia todo su estilo de vida. Al moverse fuera de su zona segura, donde todas sus actividades están estructuradas, sufre un fuerte choque. De pronto, se da cuenta de que su experiencia cristiana era totalmente superficial. Probablemente, lo que ha ocurrido es que se ha dejado llevar, confiando en su entorno (fe en dirección horizontal).

Muchas veces, en las universidades he conocido estudiantes que, al estar lejos del ambiente cristiano al que estaban acostumbrados en su hogar y en su iglesia, se sienten inseguros y vacilantes. Su fe de segunda mano se ha ido desintegrando porque nunca han experimentado una relación personal, vertical, con Jesucristo. Muchos dirán: "¡Ay, Jacob y Susana han perdido su fe en esa horrorosa universidad mundana!" Pero hay que hacer la pregunta incómoda: "Jacob y Susana, ¿perdieron la fe que les había salvado? ¿O será que lo que tenían antes no era más que una fe por adoctrinamiento o de conformidad?"

Cuando los no cristianos miran a las personas con fe de conformidad, lo que ven es un reflejo de su entorno (entorno que ellos mismos no comparten) y nada más. Eso, por supuesto, no les impresiona.

Ellos no están buscando un buen ambiente; buscan una fe viva.

Yo también me crié en una familia cristiana y a mí me ayuda preguntarme de vez en cuando: "¿Hay algo en mi vida que sólo se pueda explicar porque Dios mismo lo haya hecho? ¿O todo lo que me ha pasado se debe a mi trasfondo, mi entorno y mis circunstancias? ¿Qué pasaría si, de aquí a una semana, mi ambiente cambiara por completo?"

Afortunadamente, hay un tercer nivel de fe que se conoce como "fe con compromiso". Este tercer nivel describe a las personas que reconocen que ser cristiano es más que afirmar con la mente la verdad acerca del Señor Jesucristo. Santiago 2:19 nos dice que hasta los demonios hacen eso: ellos creen en el único Dios y tiemblan. La fe que salva no es meramente creer que ciertos hechos son verdad. Las personas que tienen una fe con compromiso son verdaderos seguidores de Jesús y están vinculados a Él a toda costa.

Por ejemplo, los estudiantes universitarios se encuentran en un ambiente que es abiertamente hostil al cristianismo. Puede que escuchen argumentos que desafíen su fe, cuestionamientos que jamás se habían hecho y que no tienen idea de cómo responder. Pero al estar verdaderamente comprometidos con Jesús, se verán motivados a buscar las respuestas a esos argumentos sin abandonar su fe. Se enfrentan a tentaciones que nunca antes habían experimentado, pero al igual que Daniel, Sadrac, Mesac y Abed-nego en Babilonia, en vez de dejarse influir por su ambiente, son ellos quienes ejercen influencia sobre su entorno. ¿Qué distingue a estos estudiantes? La diferencia es que tienen una fe que proviene de arriba, que ha nacido del Espíritu y que les ha salvado.

Arrastrados por el cristianismo

En cada etapa de nuestra vida, es importante que evitemos caer en una fe horizontal que dependa del entorno. Debemos evitar caer en esa creencia (que muchas veces es inconsciente) de que las personas pueden entrar en el cristianismo arrastrados por una corriente.

Esta peligrosa tendencia se desarrolla fácilmente, sobre todo en hogares cristianos. He visto una viva ilustración de esto al mirar a mis propios hijos cuando eran pequeños. Recuerdo al pequeño Paul con cuatro años y saltando por la casa mientras iba cantando: "Estoy feliz, feliz, feliz todo el rato, porque Jesús es mi amigo." Supongo que él sí que estaba feliz la mayoría del tiempo, y también quiero pensar que él veía a Jesús como un amigo. Pero, sin duda, muchas veces cantó esa canción sin pensar en su significado, de la misma manera que lo hacemos nosotros con tanta frecuencia. Cantamos verdades que no son nuestras. Este patrón de repetición sin sentido- y sin pensar en lo que se repite- comienza en nuestra niñez y se puede convertir en un hábito cuando ya somos adultos.

Se ha dicho (creo que con razón) que los himnos y coros nos hacen a todos mentirosos. Cantamos sobre experiencias cristianas gloriosas como si fueran nuestras, pero no lo son. Y los himnos de compromiso son quizás los que más se cantan sin que luego esas palabras se traduzcan en acción. Cuando pronunciamos verdades sin pensar en su significado, llegamos a aceptar como norma una experiencia irreal. Sin darnos cuenta, estamos viviendo una mentira. Es lamentable que nuestra rica herencia de música cristiana nos pueda llevar a reemplazar algo muy verdadero con una ficción.

Creer unos hechos no es suficiente

Aceptar los hechos sobre Jesús nos puede hacer pensar que la creencia intelectual en sí es nuestro fin. De esta manera, nos perdemos la experiencia de relacionarnos de forma dinámica con la Persona que encarna todos esos hechos. He conocido a bastantes universitarios que me han dicho con honestidad: "Creo todo acerca de Cristo", pero han tenido que añadir: "No significa nada para mí. Mi fe es como una Coca-Cola que ha perdido el gas." ¿Por qué se tiene que sentir la vida cristiana como un plato frío de puré de patatas? ¿Por qué, además, debe ser insípida y pesada? No tendría que ser así, pero para algunos, lo es.

¿Se nos ha olvidado que ser cristiano, en esencia, implica recibir a una Persona, vivir con ella y responderle a ella? Asentir mentalmente a una lista de declaraciones sobre Jesucristo no es lo mismo que conocerlo personalmente.

Sería como saber todos los datos biográficos sobre el presidente de los Estados Unidos, pero sin haberlo conocido personalmente jamás. Para muchos de nosotros, puede que nuestro trasfondo haya incluido muchos datos acerca de Jesús, sin que eso nos ayudara a alcanzarlo a él como una persona viva, presente y real.

Dos ingredientes esenciales para la fe

Conocer personalmente a Jesús implica dos cosas. La primera es un compromiso, un momento en el que tomamos una decisión consciente: "Sí, Señor Jesucristo; quiero pertenecerte a ti." Ese compromiso es una relación diaria y perpetua con el Dios de la vida. Por definición, una relación es continua y envuelve todo nuestro ser; algo muy distinto a aceptar unos datos sin tener contacto personal con Jesucristo. Puede que nunca hayamos hecho ese gran compromiso, que nunca le hayamos invitado a ser el Señor y Salvador de nuestra vida. Si no lo hemos hecho, ese es el primer paso.

La segunda implicación es amor y obediencia a nuestro Señor y Salvador. Es inconcebible pensar en una relación con el Señor Jesús que sea menos de un cien por ciento. Él es el impresionante Señor del cielo, el Señor de toda la tierra. Cuando dejamos que esta verdad nos penetre hasta los huesos, nos damos cuenta de que es un increíble privilegio poder obedecerle voluntariamente.

En Mateo 7:21, se registran unas de las palabras más solemnes de nuestro Señor, cuando les advierte a sus discípulos: "No todo el que me dice: '¡Señor, Señor!', entrará en el reino de los cielos, sino el que hace la voluntad de mi Padre que está en los cielos." Jesús compara aquí nuestra relación con él con *entrar en el reino*. En otras ocasiones, se le llama el *nuevo nacimiento*. Entrar a esta relación no se trata de emplear el vocabulario correcto o cumplir con unos actos vacíos. Implica una decisión clara de hacer su voluntad. Aunque esa resolución es fundamental, nuestra obediencia a él no es la razón por la cual nos acepta y nos ama. No obstante, la obediencia es la evidencia de que estamos verdaderamente comprometidos con él como nuestro Señor.

El apóstol Juan nos añade una nota que nos ayuda a entender esto. Él dice que si guardamos sus mandamientos, "sabemos que nosotros lo conocemos" (1 Juan 2:3). La epístola completa de Santiago también abunda sobre este tema.

¿Necesita acción la fe?

La fe, por su naturaleza, exige acción. La fe es acción. La acción pone a prueba la creencia. Por ejemplo, imagínate que entre en tu habitación un hombre alarmado y te dice que el edificio va a explotar dentro de cinco minutos. Si al cabo de los cinco minutos, tú todavía estás en el mismo lugar, sabríamos que en realidad no le creíste. Si le hubieras creído, habrías salido corriendo del lugar. Por tus acciones, podemos ver lo que realmente creías.

De igual forma, yo puedo decirte que creo que Jesucristo es el único Salvador, que sólo en él podemos encontrar el sentido de la vida y que, fuera de él, todos están bajo la eterna condenación de Dios. Pero si yo sigo con mi vida a mi manera, ignorando sus palabras y su voluntad, viviendo para mis propios placeres, en realidad no estoy entrando en el reino ni tengo fe en el sentido bíblico.

La Biblia nos ofrece muchos ejemplos emocionantes de hombres y mujeres que demostraron su fe en Dios mediante sus acciones y decisiones cotidianas. Hebreos menciona la fe que tuvo Rahab cuando recibió a los espías israelitas en su casa, fe que le salvó la vida. Ella se alió con el pueblo de Dios. José dejó literalmente su ropa frente a la mujer de Potifar para evitar la inmoralidad. Moisés abandonó los placeres y privilegios que tenía como hijo del Faraón para identificarse con el pueblo afligido de Dios. Elías desafió con valentía a los profetas de Baal, les retó a una competición de sacrificios y les dijo: "El Dios que responda con fuego, sea él el Dios verdadero." Luego, con gran descaro, derramó agua sobre sus sacrificios. Él sabía que su Dios iba a responder, y así fue. Pablo y Silas, golpeados y encarcelados, cantaban himnos de alabanza a su Dios durante la noche. Estos actos no fueron meras expresiones de piedad, sino confesiones y acciones de fe, directamente experimentada en sus vidas diarias.

¿Cómo tratas a Dios?

Nuestras acciones se basan en la respuesta a una pregunta sencilla: ¿Cómo tratas a Dios? ¿Entendemos que Dios es una persona viva, o sólo un objeto en un estante? ¿Tenemos esa sed y hambre de corazón que nos motiva cada día a apartarnos a solas con Él para estudiar su Palabra y hablar sin prisa con Él en oración? A veces cantamos el viejo himno "La Dulce Hora de la Oración", pero luego evitamos nuestra hora de oración como si fuera un castigo. ¿Somos honestos con nosotros mismos? ¿Cuándo fue la última vez que me encontré a solas con el Señor? ¿Ayer? ¿Hace una semana? ¿Hace un mes? ¿Un año?

Es necesario que los que no son cristianos puedan detectar lo sobrenatural en nuestras experiencias cristianas. Sólo así escucharán nuestras palabras acerca de Jesucristo y preguntarán qué significa conocerlo personalmente. A veces, cuando he acabado de hablarle a un grupo de estudiantes, algunos se acercan y preguntan: "¿Cómo funciona? ¿Cómo puedo tener la clase de vida que tú estás describiendo? ¿Hay esperanza para mí?" Es un enorme privilegio poder sentarme con ellos y explicarles que, al comprometerse con Jesucristo, pueden recibir el perdón, la limpieza y el poder de Dios.

No te engañes a ti mismo

Cada uno de nosotros ha leído este capítulo con diferentes actitudes, reacciones y conclusiones. Algunos estamos convencidos de que nuestra fe en el Señor Jesucristo es genuina, pero queremos profundizar en ella y crecer a medida que nuestro conocimiento sobre él aumenta. Otros estamos recordando que nuestra fe solía ser mucho más efervescente antes. O quizás estamos comenzando a darnos cuenta, con un poco de temor, de que nuestra fe nunca ha ido más allá de una afirmación mental de ciertos hechos acerca de Jesucristo y una conformidad a nuestro entorno cristiano. Durante años, nos hemos interesado en muchos datos e información, pero no en Jesús mismo. Con toda honestidad, puede que nos estemos cuestionando si en efecto es posible tener una fe genuina o una relación personal con Jesucristo.

Cualquiera que sea nuestra situación individual, seamos honestos con nosotros mismos y no construyamos una fachada para impresionar a los demás.

En la presencia de Dios, podemos preguntarnos si realmente tenemos una fe genuina, una fe que cobra sentido cada día. Si podemos responder con certeza que sí a esta pregunta, debemos volver a darle gracias a Dios por su bondad y por su gracia, y pedirle que aumente nuestra fe y la extienda a cada experiencia de nuestra vida. Para aquellos de nosotros que no estamos seguros, o cuya respuesta es que no, podemos dar un sencillo paso. Ven a Jesús y háblale directamente. Dile que quieres conocerle y tener fe en él. Dile que estás preparado para poner tu vida totalmente en sus manos capaces y perfectas.

No hay cristianos a medias

Ya he dicho anteriormente que, en Jesús, no existe una fe a medias. El requisito previo para tener una relación viva con él es un compromiso total e irrevocable. Cuando comenzamos a negarle algún área de nuestra vida o a rebelarnos en contra de su voluntad (aunque sea en algún detalle "mínimo"), nuestra vitalidad espiritual sufre. Nuestra comunicación se ve afectada por un cortocircuito espiritual. Decimos que estamos dispuestos a testificar acerca del Señor a nuestros amigos y compañeros de trabajo, pero comenzamos con condiciones: "Señor, por favor no me pidas que sea amigo de José; pídemelo de cualquier otra persona, pero no de José." O como dijo un joven estudiante de medicina: "Puedo testificar donde quieras, Señor, excepto a mis colegas profesionales."

¡Con qué facilidad pensamos que sabemos más que Dios! O que nos toca elegir entre nuestra felicidad y hacer la voluntad de Dios. ¡Cómo si Dios quisiera que viviéramos agobiados! Nuestro Padre celestial nos ama. Jesucristo murió por nosotros. El Espíritu Santo que vive en nosotros es su promesa. Ciertamente, el Dios trino no nos va a timar ni engañar. Sundar Singh, un conocido pastor de la India, lo dijo así: "La capital del cielo es el corazón en el cual reina Jesucristo en su trono." El gozo más profundo que podemos conocer en esta vida proviene de un compromiso total con Jesucristo y con su voluntad hacia nosotros. Sólo entonces veremos que hablar sobre Él con los demás es una experiencia incomparable. Pidámosle al Señor Jesús (ya sea por enésima vez o por vez primera) que viva en nosotros como Señor y Salvador y que llene nuestras vidas. A partir de ahí, podemos pedirle que nos dé valor y denuedo para compartir nuestra fe con los demás.

El gozo y las recompensas de la evangelización son estupendos. Un hombre de negocio que pertenece a mi grupo de estudio bíblico me llamó un día después de una reunión. Sus palabras me alegraron el día. Me dijo que se había llevado el libro que yo le di para que lo leyera. Y añadió: "Había cinco puntos en ese libro. Cuando llegué al número cinco, hice lo que me dijo que hiciera. Oré a Jesucristo y le manifesté que quería darle mi vida entera." Luego añadió: "¡Esto es insuperable!" Estoy totalmente de acuerdo. No hay nada mejor que comprometerse con Jesucristo. Y no hay nada mejor que hablarles a otros de él.

Pero recuerda que, para testificar de manera eficaz, debemos ser realistas: genuinos en nuestro conocimiento de las personas de nuestro mundo y genuinos en nuestro compromiso total con Jesucristo.

PREGUNTAS PARA EL ESTUDIO INDIVIDUAL O EN GRUPO

1   Para que las buenas noticias que compartimos sean pertinentes, debemos entender a las personas con quienes nos comunicamos: cómo es su mundo y qué cosas son importantes para ellos. Vuelve a leer las listas de generalizaciones sobre los adultos de hoy día (págs. 21-22). ¿Cómo cambiarías estas listas para describir mejor a los no cristianos que conoces?

2   Ahora, con tu lista nueva y mejorada:

- Pon tu inicial al lado de las características que tú mismo posees.

- Coloca un asterisco al lado de los atributos que admiras en los demás.

- Marca las características que indican que una persona podría estar abierta a escuchar el evangelio.

- Subraya las características que indican que una persona podría resistirse a escuchar acerca del cristianismo.

- Dibuja un cuadrado al lado de las características para las cuales Jesús específicamente ofreció ayuda. (Si quieres, escribe los versículos que te vengan a la mente.)

3   De las cinco categorías en la pregunta 2, ¿cuáles crees que debes tener en mente cuando le presentes el evangelio a alguien? ¿Por qué?

4   ¿Qué clase de información quisieras añadir a tus listas? ¿Cómo te ayudaría a acercarte con el evangelio a otras personas?

5   Ya que es tan fácil suponer que conocemos a alguien, aunque en realidad no lo conozcamos, Paul Little sugiere que desarrollemos la habilidad de escuchar para que los que no son cristianos puedan hablar por sí mismos. Durante esta semana, ¿qué situaciones podrías aprovechar para que tus compañeros no creyentes compartan sus puntos de vista?

6   El autor nos dice que los no creyentes valoran las opiniones de las personas que están informadas e involucradas en la sociedad. ¿Cuán informado e involucrado estás?

7   Si piensas que debes mejorar en esta área, ¿qué paso podrías tomar esta semana para comenzar?

8   Aunque sabemos que somos imperfectos, los no creyentes esperan que demostremos lo que significa ser cristiano. Sin embargo, no todos los que se llaman cristianos demuestran una fe que merezca la pena observar. Repasa los tres tipos de fe que describe Paul Little: la fe por adoctrinamiento (pág. 30); la fe de conformidad (pág. 31) y la fe con compromiso (pág. 32). ¿Qué clase de fe crees que tienes? (Es normal que también encuentres rastros de las demás.)

9   Si la fe que tienes no es fe con compromiso, ¿te gustaría tener este tipo de fe? Puede ser que necesites tomar una decisión consciente de pertenecer a Cristo. Tal vez tengas que decidirte a obedecer a Jesús, aunque sea difícil. Si quieres, habla con un cristiano maduro para decidir cuál es el próximo paso que debes dar.

10 ¿Qué harás esta semana para profundizar en tu relación con Jesús?

SUGERENCIAS PARA UN LÍDER DE GRUPO

Antes del estudio, escoge dos artículos breves de algún periódico: uno sobre algún proyecto de servicio comunitario y otro sobre algún crimen ocurrido recientemente. Al comenzar el estudio, lee fragmentos de ambos al grupo. Pídele a los miembros del grupo que mencionen lo que ellos creen que reflejan los artículos acerca de nuestra sociedad.

02 EL EMBAJADOR EFICAZ

Antes me sucedía que cada cinco o seis meses, la presión por evangelizar se iba acumulando dentro de mí hasta que llegaba a un nivel que no podía aguantar. En mi ignorancia, me lanzaba sobre las personas disparando versículos bíblicos con una mirada extraña y distante en mis ojos. Francamente, no esperaba respuesta alguna. Tan pronto mi víctima mostraba falta de interés, comenzaba a alejarme con una gran sensación de alivio y me consolaba a mí mismo pensando que "todos los que quieren vivir piadosamente en Cristo Jesús padecerán persecución" (2 Timoteo 3:12). Pero, habiendo cumplido mi deber, volvía a encerrarme como un mártir por seis meses más de hibernación hasta que la presión interna volviera a mortificarme y me viera obligado a salir otra vez. Realmente, me sorprendí cuando por fin me di cuenta de que era yo mismo quien ofendía a las personas, y no la cruz. Ellos me rechazaban a mí y al mensaje del evangelio por culpa de mi acercamiento tan inepto, maleducado y, francamente, tonto.

¿De eso se trata la evangelización? ¿De escupirle un montón de versículos bíblicos en la cara a los no cristianos? Pues, no exactamente. La evangelización va mucho más allá de lo que decimos en un momento de inspiración. Envuelve todo lo que somos y hacemos. Es un estilo de vida, es el 'arte' de explicarle a alguien quién es Jesús y por qué es tan estupendo que haya quien confíe en él como Señor y Salvador.

Evangelizar es vital para nuestra salud espiritual. Me gusta verlo como la efervescencia de la Coca-Cola, porque es lo que le añade brillo y vitalidad a nuestra fe. Cuando hablamos con los demás acerca de Jesús, estudiamos la Palabra de Dios con nuevos ojos para agudizar nuestra capacidad de comunicar su mensaje.

Comenzamos a orar a Dios de forma específica, con nombre y apellido, por nuestros amigos que ahora forman parte de nuestra vida. Le pedimos a Dios que ilumine a cada uno específicamente, que les lleve al Salvador y les dé nueva vida. Vemos con anticipación cómo Dios responde a la oración. Vemos menguar la indiferencia y el antagonismo, y crecer el interés. A la vez, la Biblia se torna cada vez más viva cuando vemos que otros responden a su verdad. Pasajes que en algún momento nos parecían áridos y aburridos adquieren un nuevo sentido. Cuando vemos al Espíritu Santo transformar la vida de una persona, sabemos lo que se siente al estar en la vanguardia de lo sobrenatural. Ahora podemos hablar, no sólo de la obra de Dios en nuestra propia vida, sino de su obra en las vidas de los demás. Nuestra fe aumentará rápidamente.

Evangelizar es esa convicción profunda de que el mayor favor que le puedo hacer a alguien es presentarle a Jesucristo. "Somos, pues, embajadores de Cristo." Esta es la figura que aparece en el Nuevo Testamento para describir nuestro papel como testigos. Somos los representantes de Dios, nombrados para ser sus mensajeros. De hecho, es a través de nosotros los cristianos cómo Dios hace su llamado al mundo (2 Corintios 5:18-21). Al pensar en lo que esto implica, uno se da cuenta de que es un nombramiento supremo.

En cierto sentido, somos la única boca de Dios, sus únicos pies, sus únicas manos. Cuando el apóstol Pablo dijo que éramos embajadores, se dirigía a la iglesia entera en Corinto, no a unos pocos. Tan pronto confiamos en Jesucristo, formamos parte de la familia de Dios y automáticamente recibimos esta comisión de compartir el mensaje de Cristo.

Pablo además informó a los corintios acerca de cuál es ese mensaje: que el Dios de todo el universo le ofrece a nuestro mundo la reconciliación. Lo describe de tres maneras: el ministerio de la reconciliación (v. 18), la palabra de la reconciliación (v.19) y el llamado a reconciliarse con Dios (v. 20). Nos dice que nuestro mundo se ha alejado del Dios viviente y que necesita regresar. Y el Dios amoroso está con los brazos abiertos, esperando que regresemos. ¡Qué mensaje nos toca llevarle a un mundo solitario! ¡Qué gran reto para nosotros!

¿Alguna vez has considerado que, para aquellos que te rodean, tú eres Jesucristo? Tú y yo somos sus instrumentos, los representantes que, en nombre del Señor Jesús, rogamos a los demás que se reconcilien con Dios. Eso me parece increíble. Cuando tú y yo vamos a trabajar, caminamos por la calle, hablamos con nuestros compañeros de piso, charlamos con nuestro vecino, nos encontramos en una conversación directa, cara a cara, con las personas por quienes murió Jesús. Puede incluso que seamos el último eslabón en la cadena que se extiende hacia ellos desde el trono de Dios, esa cadena creada para traerlos a la fe. Puede que ellos no conozcan a nadie más que pueda contarles el mensaje de la reconciliación. Eso lleva consigo una solemne responsabilidad. Es, además, un asombroso privilegio.

EL EMBAJADOR ENTUSIASTA

En el ámbito de la política, uno de los principales requisitos para que alguien pueda ser un embajador eficaz es que demuestre entusiasmo por aquello que representa. En otras palabras, necesita mucha motivación. Imagínate que tienes que elegir embajadores para que representen a tu país en otras tierras. Ciertamente, escogerías a las personas más capacitadas y no enviarías a alguien que esté ansioso por abandonar su patria porque ha perdido la esperanza para su país. Alguien así no podría ser un buen embajador. Más bien, uno busca a alguien que vea claramente todos los problemas del país, pero que, aun así, se sienta orgulloso de ser ciudadano y entienda que representar a su país es un gran privilegio.

De la misma forma, los embajadores del ministerio de asuntos exteriores del reino de los cielos deben tener una convicción intensa de que nuestro mensaje es el mejor regalo que se puede dar, mejor que un millón de euros, mejor que la cura para el cáncer, mejor que cualquier cosa que se le pueda ocurrir a uno. Sin esta clase de entusiasmo, no seremos buenos embajadores cristianos.

Me refiero a una convicción profunda que surge de lo más profundo de nuestro ser. Es esa certeza de que el mensaje cristiano es lo mejor que podemos ofrecer, por todo lo que Jesucristo ha significado en nuestra propia vida. Este impulso interno nos motivará a ser embajadores efectivos y fructíferos.

Quiero hacer una aclaración. Cuando hablo de entusiasmo y motivación como embajadores de Jesucristo, no me refiero a un enardecimiento artificial y vacío que nosotros mismos provocamos o fabricamos. No es ir dando botes, diciendo: "Soy feliz, feliz, feliz" sólo porque esa es la frase obligada de los cristianos. Tampoco implica que debamos andar siempre con una sonrisa plástica, independientemente de cómo nos sintamos.

NO ES PERFECCIÓN TOTAL

Nuestra oración debe ser que la calidad de nuestra vida honre a Jesucristo. Un testimonio positivo se refleja a través de nuestro sentido de propósito espiritual, nuestros valores, lo que ocupa nuestro tiempo y nuestras fuerzas. Una actitud de paz y contentamiento que nos sostiene ante las presiones de la vida puede comunicarles a los demás la ayuda que Dios brinda.

No estoy sugiriendo que debamos esperar a obtener la perfección moral antes de poder representar a Cristo. Esta es una de las mentiras favoritas de Satanás. Él quiere callarnos y trata de convencernos de que no debemos testificar de Jesús a nadie hasta que seamos tan buenos, que parezcamos el hermano gemelo del ángel Gabriel. *Después de todo, no queremos ser hipócritas.* Tristemente, esta mentira ha funcionado con muchísimas personas.

Si hablamos con libertad sobre nuestras luchas y cómo Jesús nos ha ayudado en situaciones específicas, podemos provocar una sed en los corazones de los que no han conocido a Jesús. Una lucha no es lo mismo que una rebelión voluntaria y persistente contra Dios.

La rebelión es desafiar abiertamente al Señor, es como decirle a Dios: "Yo voy a hacer lo que me da la gana y te agradecería que no interfieras conmigo." Las luchas, por el contrario, surgen de la guerra contra las tentaciones, cosa que experimentamos todos. Las tentaciones nos vienen a quienes estamos en el proceso de desarrollar madurez, entereza cristiana y semejanza a Jesucristo. Esta clase de honestidad y realismo puede ayudar a una persona no cristiana a entender cómo funciona la vida cristiana y el poder sobrenatural que tenemos a nuestro alcance.

La realidad que debemos compartir con otros es la comunión abierta y diaria que tenemos con Jesucristo. Muchas veces, las personas que no conocen al Señor no ven nuestras debilidades personales y los fracasos que más profundamente sentimos. El mensaje que debemos compartir es que esta comunión diaria con Jesucristo a través del Espíritu Santo revela nuestro pecado y que Jesús nos perdona de veras cuando nos arrepentimos sinceramente. Además, el Señor Jesús nos otorga su propia justicia impecable. Si comunicamos esto, las personas no cristianas verán la vida misma del Señor Jesús reflejada en nosotros.

No debemos olvidar nunca que, aunque seamos distintos a otras personas, no somos perfectos. Si nuestro mensaje habla de nuestra perfección, estamos tergiversando el mensaje de Jesucristo. Además, nada ahuyenta más rápido a los no creyentes que esa actitud no-verbal de "¡Soy perfecto y tú no!" Esta actitud contradice al mensaje cristiano. No representamos nuestra propia perfección, sino la perfección del Señor Jesús.

D.T. Niles lo ilustró bien, cuando dijo: "El cristianismo se trata de un mendigo diciéndole a otro mendigo dónde encontrar comida." Ninguno de nosotros llega a la madurez que el Señor Jesús desea para nosotros, y debemos reconocerlo y confesarlo libremente. A mi parecer, el único momento en el que debemos quedarnos callados y no testificar es en el caso de que hayamos tomado la decisión consciente de entregarnos al pecado y a la desobediencia, y hayamos cortado nuestro contacto con el Señor.

A veces, surge la pregunta: "Como representante de Jesús, ¿qué es lo más importante: la vida que vivo o las palabras que digo?" Esta pregunta crea una antítesis falsa entre la consistencia de nuestra vida y nuestro testimonio verbal. ¡Es como preguntar cuál de las alas de un avión es más importante, la izquierda o la derecha! Por supuesto que ambas son esenciales. De igual manera, para ser un testigo eficaz de Cristo, nuestras acciones y nuestras palabras son inseparables.

Por lo general, la evangelización nace de un compromiso de vida con Jesucristo, y nuestros amigos, al conocernos, deberían percibir en nosotros una dimensión eterna. Esto es lo que significa Mateo 5:16, que dice: "Así alumbre vuestra luz delante de los hombres, para que vean vuestras buenas obras y glorifiquen a vuestro Padre que está en los cielos."

Creo que esa *luz* es el evangelio comunicado en palabras. Nuestras *buenas obras* son la validación personal de ese evangelio. Si permanecemos callados, esperando que las personas vean a Jesucristo en nosotros, puede que sólo piensen: "¡Qué gente más amable!" Es como si una víctima de cáncer descubriera una cura antes que los demás pacientes y, al ser curado, se pusiera a correr por el hospital, a hacer el pino, a saltar y hacer volteretas, y pensara dentro de sí: "Voy a ser un testigo silencioso de la cura del cáncer." Si se limita a mostrar su buena salud, nadie más logrará ser curado. Es necesario que les diga cómo y dónde conseguir el tratamiento. La Biblia nos enseña que tanto el mensaje verbal como el ejemplo de nuestra vida son importantes.

SIN MENTALIDAD DE CASTILLO

Si un embajador se limitara a construir edificaciones de refugio para sí mismo y sus compañeros diplomáticos y jamás se aventurara a salir y conocer a los ciudadanos de su país anfitrión, no sería un buen embajador y seguramente no duraría mucho tiempo en ese puesto. De igual forma, sería triste que construyéramos fortalezas a nuestro alrededor y sólo entabláramos amistad con otros creyentes. La solución, por supuesto, ¡es salir y conocer a las personas!

Muchas veces no tenemos oportunidades de compartir el evangelio precisamente porque no tenemos mucho contacto con personas no cristianas. Como individuos al igual que en nuestros grupos cristianos (iglesias y otros), los no cristianos no están escuchando nuestro mensaje. ¡No hay nadie al alcance de nuestra voz! El evangelio no ha perdido su poder, pero los cristianos han perdido su audiencia. Si no conocemos a ningún no creyente, ¿cómo vamos a guiarlos hacia el Salvador? Esta sencilla razón explica muy bien la aparente ineficacia del evangelio en el mundo actual.

Por lo general, hay dos tipos de oportunidades para testificar que nos surgen naturalmente. El primero es la oportunidad única, como cuando hablamos con algún desconocido en un avión, tren o autobús, sabiendo que probablemente nunca lo volvamos a ver. Aunque estas conversaciones son breves, pueden llegar a ser muy personales y profundas, quizás a causa del anonimato de la situación. Las personas que hemos conocido jamás nos volverán a ver y no conocemos a nadie que los conozca. También tenemos encuentros casuales en la sala de espera de un médico, en el gimnasio o en algún centro comercial. Dondequiera que se inicie una conversación general, podemos convertirla en una oportunidad para hablar de Jesús. Puede que no estemos en el tiempo de la siega, como lo llama el Nuevo Testamento, pero este podría ser un buen tiempo para sembrar.

El otro tipo de contacto que solemos tener es con aquellos que vemos en repetidas ocasiones: nuestra familia, compañeros de piso, vecinos, colegas del trabajo, compañeros de estudio. Estos seguramente componen la mayoría de nuestros contactos sociales. Aunque puede parecer que nuestra principal responsabilidad de testificar es hacia este grupo continuo, suele ser el más intimidante. Nos cerramos más ante aquellos que conocemos bien. No se nos ocurriría decirles algo que les parezca ridículo, porque nos toca vivir con ellos. Además, conocen todos nuestros defectos. ¿Cómo vamos a decirles algo 'espiritual'? Por otro lado, cuando se trata de un desconocido a quien probablemente no volvamos a ver, nos atrevemos a ser muy directos. Sin embargo, en ambos tipos de relaciones, somos embajadores de Dios, llamados a proclamar su mensaje de reconciliación.

Nos parecería extraño si una embajada pusiera un letrero en el exterior del edificio que dijera: "Si quieres conocer algo sobre este país, llama a la puerta. Estamos adentro, esperándote para responder a tus preguntas." Sin embargo, muchas iglesias y grupos cristianos funcionan de esa manera. Algunos incluso hacemos reuniones evangelísticas sin que asistan no cristianos.

Aunque algunos no cristianos se aventuran a entrar a nuestras iglesias, hay muchos más que nunca lo harán. Mientras daba una serie de conferencias en una universidad, vi un ejemplo claro de la necesidad de ir a donde está la gente. Cientos de estudiantes vinieron a cada una de las conferencias en el gran auditorio de la universidad. Eso fue genial. Pero vimos la necesidad de planificar reuniones en las residencias estudiantiles y clubes universitarios. Cuando lo hicimos, ¡otros mil trescientos estudiantes no cristianos escucharon el mensaje del evangelio en las reuniones más pequeñas! Muy pocos de ellos hubieran estado dispuestos a ir a las conferencias principales, pero, al encontrarse en su propio territorio, estaban dispuestos a escuchar. Y algunos de ellos se convirtieron. Seguimos reconociendo el valor de las conferencias y necesitamos usar varios métodos para alcanzar a los demás. Pero está claro que solemos alcanzar mayores cantidades cuando salimos a encontrarnos con ellos en su propio terreno.

NO TODOS SON EXTROVERTIDOS

Cuando se habla de encuentros sociales, por lo general hay dos tipos de personas en el mundo: los extrovertidos y los introvertidos. Los extrovertidos no necesitan que se les enseñe cómo conocer gente y desarrollar amistades. Lo hacen de manera natural. Y Dios puede usar ampliamente este talento para crear situaciones sociales. En grupos y de manera individual, crean fácilmente una buena comunicación con personas nuevas.

Los introvertidos, por otro lado, necesitan desarrollar más sus destrezas interpersonales. Eso no significa que los introvertidos no sean atractivos para los demás. Lo son, especialmente para otros introvertidos. Las personas de naturaleza tranquila se sienten más cómodas acercándose a otros que sean igualmente tranquilos. A veces, las personas extrovertidas pueden resultar un poco intimidantes para los demás.

Quizás se te haga más fácil una amistad con gente que tenga una personalidad o un temperamento parecido al tuyo. Las personas extrovertidas forman amistad más fácilmente con otros extrovertidos. Los tipos más intelectuales o filosóficos encuentran más cosas en común con gente parecida a ellos. Afortunadamente, Dios nos hizo exactamente como Él nos quiere, con talentos únicos. Y hay personas a las que Él desea que alcancemos con nuestro estilo particular. Quiere que todos seamos embajadores.

Cuatro pautas que me han ayudado a relacionarme con los demás son:

- Establece un buen contacto visual.

- ¿Miras a las personas a los ojos o tiendes a distraerte hacia el norte, sur, este y oeste? Los ojos revelan la intención del alma. Una mirada fría te distancia de la otra persona. Una mirada cálida te acerca. Pregúntale a un buen amigo si tienes un contacto visual cálido.

- Desarrolla el arte de escuchar.

- ¿Puedes centrar tu atención en lo que la gente de dice? ¿O te pasas pensando en lo próximo que dirás? ¿Te interesa realmente entender lo que te están diciendo? ¿Te importa? Si escuchas atentamente, ellos se acercarán a ti.

- Desarrolla una actitud de estímulo.

- Cuando escuchas las ideas de los demás, ¿tiendes a responder de forma negativa o positiva? ¿Desanimas a la gente? ¿Andas siempre buscando la manera de parecer más inteligente o más

conocedor que los demás? ¿Haces que los que te rodean se
sientan afirmados y queridos? ¡No seas tan borde!

- Hazte interesante para los demás.

- Muchos cristianos no se encuentran con no cristianos porque si
se estuvieran solos con ellos durante media hora, no sabrían de
qué hablar. Se han distanciado tanto de la vida normal, que han
perdido la capacidad de relacionarse con la gente en temas que
no sean religiosos. Un conocido maestro de la Palabra me dijo
que no sabría de qué hablar en una reunión del Club Kiwanis[1].
Si este es nuestro problema, debemos ponernos al día con noticias de la actualidad y libros clave que nos ofrezcan un terreno
común para comunicarnos. También es útil buscar pasatiempos
y otras formas de relacionarnos con otras personas. Puede que
tengas que aprender a jugar al tenis, correr con un compañero
o sencillamente encontrar la forma de explicar tu interés en la
astronomía o los ordenadores de una manera que cautive a los
demás.

Puedo recomendar tres libros útiles sobre este tema de establecer y
mantener buenas relaciones: *Making Friends*, de Em Griffin (InterVarsity
Press); *The Human Connection*, de Martin Bolt y David G. Myers (Inter-
Varsity Press), y *Friendship*, de Don Posterski (Project Teen, Canadá).
El libro de Posterski puede ayudar a entender a la juventud actual.

UN VERDADERO DIPLOMÁTICO

Si realmente queremos ser representantes de Cristo, debemos pensar
cómo ofrecerle la mejor amistad posible a los no cristianos. Todos nos
enfrentamos a la tentación de quedar sólo con nuestros amigos cristianos (o con nuestro clan de creyentes). Nos justificamos pensando
que, al fin y al cabo, los cristianos entienden nuestro trasfondo, nuestro
vocabulario y nuestro sistema de valores. ¡Es más fácil! No hay riesgo.

---

1   Nota del traductor: Kiwanis International es una organización global de servicio,
    conformada por hombres y mujeres orientados hacia la comunidad que apoyan niños
    y jóvenes alrededor del mundo.

En vez de esto, pídele al Señor que te haga más sensible a las personas que te rodean y que te muestre quiénes a tu alrededor necesitan un amigo. Tal vez, es la persona que vive al lado tuyo, ya sea en tu residencia estudiantil o en tu barrio. Busca a alguien específico con quien quieras comenzar. No intentes escaparte con un acercamiento más impersonal. ("Bueno, pues le envío un tratado o un libro.") El comienzo puede ser tan sencillo, como pasar una hora visitando a algún vecino, hablando con tu compañero de piso o invitando a comer a algún compañero de trabajo. Pero debes ser específico, porque, en el mundo real, a veces hay que programar tiempo en la agenda para hacer nuevas amistades. Luego, ora.

La comida siempre es un excelente vehículo para hacer amistades. Es interesante ver la cantidad de veces que Jesús comió con las personas que quería alcanzar. Me vienen a la mente Zaqueo, Leví y Simón, pero hay muchos más. Aun los que estén a dieta pueden organizar eventos sociales. Sé creativo. Pídele a Dios su dirección y su bendición.

Quizás no conoces a muchos no cristianos. Si ese es el caso, es posible que tengas que planificar otras actividades o salir a lugares nuevos para expandir tu lista de contactos.

Sé de un hombre que va regularmente al gimnasio con el único propósito de hacer amistades. El campus universitario ofrece muchísimas oportunidades para conocer gente.

Los estudiantes pueden participar en los coros, en los equipos deportivos, en el periódico estudiantil o en alguna otra organización estudiantil que encaje con sus intereses y habilidades personales. Al integrarnos en la vida universitaria, podemos contribuir a la comunidad estudiantil, aprender de ella y entrar en contacto con personas no cristianas.

Tampoco debemos olvidarnos de los estudiantes internacionales en nuestras facultades. Estos tienen mucho que ofrecer, pero la mayoría están muy solos. Hasta los más sociables se sienten a veces perdidos o confundidos por nuestro ritmo de vida acelerado pero superficial. (Un estudiante nos contó que la primera vez que vio la carta de un restaurante en Estados Unidos, leyó *perrito caliente*. Sabía lo que significaba la palabra *perrito* y la palabra *caliente*, y decidió que no comería comida americana.) Cada amigo de otro país necesita compañía y comprensión mientras se va adaptando a su nueva vida aquí. Hemos conocido a algunos que, después de graduarse, han alcanzado puestos importantes en sus gobiernos. Y podríamos disfrutar del privilegio de conocer a estas personas tan inteligentes y de ser sus amigos.

Nuestro propio barrio es otro punto de testimonio que a veces olvidamos. Salimos de nuestra casa sin pensar tan siquiera en lo que ocurre detrás de la puerta al lado de la nuestra. Luego, cruzamos toda la ciudad para quedar con nuestros amigos cristianos. Recuerda que tu casa puede ser un lugar para la amistad, un oasis para alguien que necesita refrescarse. Sin duda, la mayoría de los no creyentes preferirán mil veces entrar a nuestra casa que a nuestra iglesia.

Puede que en las etapas iniciales te rechacen incluso para una amistad superficial. En la primera casa que viví con mi familia, orábamos sistemáticamente por los vecinos que teníamos a ambos lados. Estábamos convencidos de que Dios nos había llevado a esa casa para que sirviéramos como amigos y embajadores a esas dos familias. Quizás nos mostramos un poco impacientes, porque pasaba el tiempo y sólo lográbamos una amistad superficial con ellos. A menudo, nos preguntábamos: ¿estaremos fracasando?

Sin embargo, al mismo tiempo, conocimos a una familia de la calle adyacente porque nos turnábamos para llevar a nuestros niños al colegio. Nos hicimos muy buenos amigos. Luego conocimos a otra pareja de una calle cercana que nos dijeron que su hijo les hacía preguntas acerca de Dios que ellos no sabían contestar. Aprovechamos esta oportunidad para invitarlos a estudiar la Biblia con nosotros. Comenzamos el estudio bíblico en nuestra casa y luego continuamos en otras.

Desde ese momento, supimos que debíamos caminar un poco

para encontrar a alguien en quien el Espíritu de Dios ya estaba trabajando. Es casi como llamar a varias puertas para ver quién está en casa. A veces, una breve alusión a Dios provocaba una respuesta sobre la cual podíamos abundar. Si no había tal respuesta, tampoco nos desesperamos, sino que seguimos buscando a otra persona a la vuelta de la esquina. No es que abandonemos a los que no nos responden; sólo que no esperamos eternamente una respuesta donde no la hay.

Una cosa que nos ha funcionado en nuestro barrio es hacer actividades de puertas abiertas en casa. Preparamos unas invitaciones sencillas, servimos algo para picar y fuimos casa por casa invitando a las familias a venir a nuestra casa los domingos por la tarde. Venían una buena cantidad de personas y algunas se quedaban hablando con nosotros hasta la noche. En nuestras conversaciones, les comentábamos a todos que queríamos conocer a las familias que vivían cerca de nosotros. Luego, se nos hizo más fácil volver a quedar con una o dos familias a la vez para conocernos mejor. Después de un tiempo en esas actividades, nos sentíamos libres para hablar de muchas cosas, como hacen todos los amigos. Por supuesto, en esas conversaciones al final acabábamos hablando de nuestra fe.

En la actualidad, hemos hecho una buena amistad con una de las familias que vive al lado nuestro. Descubrimos que la madre estaba interesada en la Biblia y vino a un estudio bíblico de nuestra iglesia. Después de dos meses, al acabar un estudio, ella expresó con gran emoción que necesitaba ser perdonada. Todos oramos juntos, conmovidos por la evidente obra del Espíritu Santo, y vimos cómo el Señor trajo paz a su vida.

Esa noche, de camino a casa, casi no nos hablamos, pero la semana siguiente, mi esposa recibió una carta de ella. Siempre atesoraremos sus palabras: "Gracias por presentarme a Jesús. ¡Yo, que ni sabía a quién estaba buscando!" Esa familia ya se ha mudado y, hasta donde sabemos, el marido sigue observando desde afuera. Pero todavía somos buenos amigos.

Todos nos deberíamos preguntar: "¿Tengo una lista de personas por las que oro diariamente, pidiéndole a Dios que su Espíritu abra sus ojos, les ilumine y les dirija a aceptar a Jesucristo como Señor y Salvador? ¿Estoy creando puentes y buscando oportunidades de mostrar el amor de Cristo? ¿Estoy dispuesto a tomar la iniciativa de comunicarles el evangelio cuando el Espíritu me dé la oportunidad?" Si nos damos cuenta de que nos falta el contacto vital con no creyentes, podemos sencillamente pedirle a Dios que nos muestre a una persona, la que Él quiera. Él nos mostrará esa persona con quien podemos crear amistad, orar por ella, amarla y, finalmente, traerla al Salvador. Jesús nos dice: "Alzad vuestros ojos y mirad…" (Juan 4:35).

PREGUNTAS PARA EL ESTUDIO INDIVIDUAL O EN GRUPO

1   ¿Puedes recordar alguna ocasión en la que intentaste evangelizar a alguien y la persona acabó ofendida, no por las exigencias de Jesús, sino por tu estilo? ¿Qué has aprendido (en tu vida o en este libro) acerca de esa experiencia? Si tuvieras la oportunidad de volver a hablar con esa persona, ¿qué cambiarías?

2   ¿Alguna vez has sentido que eras "la única boca de Dios, sus únicos pies, sus únicas manos" (pág. 42) en una situación en particular? ¿Cuándo?

3   Creer que somos los únicos obreros de Dios nos puede impulsar a la acción. Pero, si lo tomamos demasiado a pecho, podemos acabar agotados como Elías, diciendo: "He sentido un vivo celo por el Señor… sólo yo he quedado" (1 Reyes 19:10). A la luz de Gálatas 6:2, ¿en qué momento debemos reclutar a otros cristianos que compartan nuestra carga?

4   Paul Little dice: "Los embajadores del ministerio de asuntos exteriores del reino de los cielos deben tener una convicción intensa de que nuestro mensaje es el mejor regalo que se puede dar, mejor que un millón de euros, mejor que la curación del cáncer, mejor que cualquier cosa que se le pueda ocurrir a uno." ¿Crees tú que Jesús es el mejor regalo? ¿Por qué? ¿Cómo te afecta esta perspectiva en la manera en que respondes a los demás?

5   Si crees que hay otros regalos más importantes, ¿por qué? ¿Qué haría falta para convencerte de que Cristo es mejor?

6   ¿Debe un buen testigo esconder sus defectos y sus dudas, o más bien ha de manifestarse vulnerable ante los no creyentes? Si tú estuvieras aún buscando a Jesús, ¿qué tipo de testimonio te atraería más?

7   Valora cuán importantes son las siguientes destrezas de amistad:
    (1) buen contacto visual, (2) buena capacidad para escuchar, (3) la
    habilidad de animar a los demás, (4) ser interesante y agradable.
    Evalúate a ti mismo en estas cuatro áreas. (Puedes incluso pedirle
    a alguien que te evalúe.) ¿Podrías mejorar de alguna forma?
    ¿Cómo?

8   ¿Ves a los no cristianos como potenciales amigos o meramen-
    te como personas a las que Dios quiere que testifiques? ¿Con
    cuántos no cristianos tienes una amistad recíproca que os benefi-
    cie a ambos?

9   Si necesitas darte la oportunidad de conocer a algunos no cris-
    tianos, haz una lista de dos a cinco amigos potenciales y nombra
    algunas actividades que podrías hacer con ellos. Ponte en con-
    tacto al menos con uno de ellos esta semana.

SUGERENCIAS PARA UN LÍDER DE GRUPO

1   Permítele a los miembros del grupo que compartan cómo pusie-
    ron en práctica el estudio de la semana pasada. Podéis discutir
    por qué lo lograron o por qué fracasaron.

2   Haz que el grupo dramatice un ejemplo de evangelización ofensi-
    va y uno de evangelización sensible.

03 CÓMO TESTIFICAR

Si estamos genuinamente entusiasmados por nuestro Señor, y tenemos facilidad para hacer amigos, podemos suponer ingenuamente que no tendremos ningún problema en evangelizar. Sin embargo, la experiencia de la vida nos muestra lo contrario. A veces, tratamos de evangelizar, esperando una gran respuesta, y fallamos miserablemente. La motivación que hemos alimentado nos impulsa a llevar el mensaje a la primera persona que nos encontramos en la calle. Pero todo nos sale raro y torpe. La situación es tan incómoda, que nos alejamos sintiéndonos totalmente ineptos. Para colmo, la pobre víctima de nuestro ataque impertinente (porque puede ser así) se asegura evitarnos en un futuro. O al menos, decide salir corriendo ante el más mínimo indicio de que se acerca una discusión sobre la religión,

En cuanto a nosotros, nos lamentamos por nuestra derrota y pensamos: "¡No quiero volver a ver a esa persona nunca más en la vida!" Y ahí, justo en ese preciso momento, decidimos jubilarnos de nuestro brevísimo ministerio de evangelismo personal y conformarnos con alguna tarea menos visible. Nos ofrecemos a sellar y enviar los sobres, a pegar carteles y repartir himnarios. "Alguien más puede hablarle a la gente de Jesús. Miguel, por ejemplo. A ese sí que le encanta hablar. ¡Debe tener un don especial!"

El problema está claro. Es evidente que muchos de nosotros necesitamos aprender a comunicar la oferta de reconciliación de Cristo de una manera clara y atractiva.

SEGUIR EL EJEMPLO DE JESÚS

Por la gracia de Dios, se nos ha provisto un modelo y sólo tenemos que seguirlo. Pedro nos recuerda que el Señor nos guía por medio de su propio ejemplo (1 Pedro 2:21). Podemos volvernos y "seguir sus pasos" en todos los aspectos de nuestra vida, incluyendo la evangelización. Además, esta encomienda de representarlo a Él es una obra sobrenatural que se hace por el poder de su Espíritu Santo. ¡No estamos solos!

Cuando estudiamos la vida de nuestro Señor, podemos aprender mucho sobre cómo testificar y cómo relacionarnos con gente si observamos sus encuentros individuales con distintas personas. Más que nada, vemos su preocupación incansable por comunicar su mensaje y que los demás lo escucharan. Vamos a centrarnos en la entrevista de Jesús con la mujer en el pozo de Sicar, en Samaria, tal como nos lo narra Juan 4. Podemos descubrir algunos principios prácticos a seguir en nuestra tarea como embajadores. Espero que podamos reflexionar sobre cómo aplicar estos principios. Para descubrir el primer principio, veamos cómo comienza Jesús.

1. Ser sociable

"Cuando el Señor entendió que los fariseos habían oído decir: Jesús hace y bautiza más discípulos que Juan (aunque Jesús no bautizaba, sino sus discípulos), salió de Judea y se fue otra vez a Galilea. Y le era necesario pasar por Samaria. Vino, pues, a una ciudad de Samaria llamada Sicar, junto a la heredad que Jacob dio a su hijo José. Y estaba allí el pozo de Jacob. Entonces Jesús, cansado del camino, se sentó así junto al pozo. Era como la hora sexta. Vino una mujer de Samaria a sacar agua…" (Juan 4:1-7)

El primer principio es uno que mencionamos en el capítulo dos: debemos tener contacto social con no cristianos. Nuestro Señor se sentó en el pozo en la ciudad de Sicar en Samaria, un lugar en donde tendría contacto cara a cara con no cristianos. No estaba encerrado en una burbuja, rodeado de guardaespaldas; estaba, por así decirlo, en el medio del tráfico.

Con la mujer del pozo y con otras personas, vemos que Jesús toma la iniciativa de forma tajante para acercarse a alguien. Él se fijó en que había un cobrador de impuestos sentado a su mesa de trabajo, y Jesús se dirigió directamente a él y le dijo: "Sígueme." (Lucas 5:27-28). Algunos de los fariseos santurrones se enfurecían cuando veían esto. Jesús se asociaba intencionalmente con los pecadores. De hecho, algunos dijeron: "Mira la clase de gente con quien él habla, ¡Y hasta come con ellos! ¡Es amigo de cobradores de impuestos y pecadores!" Pero Jesús les respondió (y notemos la ironía en su voz): "Los que están sanos no tienen necesidad de médico, sino los enfermos. No he venido a llamar a justos, sino a pecadores al arrepentimiento." (Lucas 5:31-32)

El doctor Raymond Bakke, un conocido urbanista, nos señala que, cuando estuvo en Samaria, Jesús hizo algo muy sorprendente para su época. En Juan 4:39-41, habló con varios de los samaritanos de Sicar que conocían a la mujer y permaneció con ellos durante dos días porque así se lo pidieron. No tuvo problemas en quedarse con los amigos y conocidos de aquella mujer. Más aún, seguro que debió haber dormido en sus camas, comido sus platos típicos, hablado con ellos hasta altas horas de la noche. Es como si un israelí hoy día se quedara con la OLP (Organización para la Liberación Palestina). ¡Era inconcebible! Pero Jesús siempre rompió barreras; rehusó a limitarse a lo que le dictara la tradición. Estas personas eran importantes, no simplemente unas cuantas estadísticas más. El versículo 41 nos dice que "creyeron muchos más por la palabra de él".

El mismo Dr. Bakke es un gran ejemplo de esto. Él y su esposa vivían y estudiaban a las afueras de la ciudad y, sin embargo, se mudaron al centro urbano de Chicago para vivir y criar a su familia allí. Llevan veinte años trabajando con las personas que viven a su alrededor y amándolos. Estoy convencido de que esta es la única manera en que el mensaje de fe y esperanza en Jesús podría penetrar en el denso centro urbano de Chicago.

Para contactar con los demás en una dimensión social, necesitamos salir de nuestro rumbo acostumbrado y alterar nuestros planes, como hizo Jesús con los samaritanos. Esta puede ser la única forma de derribar algunas barreras. ¿Se te ocurre una mejor manera de expresar el amor de Jesucristo y demostrar a los demás cuánto los valoramos?

2. Establecer un denominador común

Este segundo principio se construye sobre el primero. Debemos dedicar el tiempo necesario para establecer un terreno común que nos sirva de puente para la comunicación.

Los cristianos a veces pasamos de todo lo que requiera mucho tiempo y preparación previa. Nos gusta saltarnos lo "no esencial" e ir al grano, como si los preludios fueran una pérdida de tiempo. Insistimos con impaciencia en "dar el mensaje". Sin embargo, ¿a quién no le molesta verse atrapado escuchando un monólogo de alguien que viene a soltar el mismo rollo de siempre, sin preguntarse siquiera si a sus oidores les merece la pena? ¡A todos nos molestaría! Ante ese tipo de presión, nos preguntamos si la persona tiene interés en nosotros como individuos o si por el contrario, sólo somos un proyecto en su agenda.

Todos hemos sido víctimas de las personas que sólo quieren escucharse a sí mismos discursear sobre su tema favorito. Un amigo entró en mi despacho y vio un archivo rotulado "Trabajo Cristiano". Ahora, no para de bromear (espero que sólo bromee) con eso, preguntándome si tengo un archivo con su nombre. Nos reímos bastante del tema, pero la realidad es que él ha conocido personas que le han hecho sentir como si él mismo fuera una obligación cristiana que ellos tenían que cumplir. Debemos tener sensibilidad, "sazonada con gracia", como dicen las Escrituras. Jesús era un experto en relacionarse con los demás. Si estuviera aquí, seguramente estaría criticando todas las barbaridades que vemos en algunos cristianos famosos que andan hambrientos de dinero y de poder. La conducta excéntrica puede provocar curiosidad, pero lo que refleja es una caricatura del verdadero cristianismo y no alienta a considerar seriamente su mensaje. Jesús no nos llamó a ser bichos raros.

Pero una imagen equivocada del cristianismo, presentada públicamente puede también ser una oportunidad para iniciar una buena discusión. Podemos denunciar esta visión errónea y explicar quién era Jesús en realidad y para qué vino al mundo. En todo caso, no podemos dejar que los malos representantes de Jesucristo nos derroten. Debemos fomentar una descripción positiva que motive a las personas a buscar, investigar y finalmente descubrir de qué se trata el cristianismo.

Miremos el pasaje detenidamente.

"Vino una mujer de Samaria a sacar agua; y Jesús le dijo: Dame de beber. (Pues sus discípulos habían ido a la ciudad a comprar comida.)" (Juan 4:7-8)

Si yo fuera Jesucristo, el Señor del universo, probablemente le hubiera interpelado a la mujer desde un principio: "Mujer, ¿sabes quién soy?" Pero Jesús no se acercó de esa manera. Comenzó con una petición: "¿Me das un poco de agua?"

Veamos la reacción de la mujer:

"¿Cómo tú, siendo judío, me pides a mí de beber, que soy mujer samaritana? Porque judíos y samaritanos no se tratan entre sí." (v. 9)

La petición de Jesús no parece ser muy dramática, a menos que miremos el panorama completo. El hecho de que Jesús hablara con esta mujer ya era rarísimo de por sí. Con este acto sencillo, derrumbó barreras sociales, religiosas, raciales y políticas. Él- un hombre- le habló a ella- una mujer. Siendo un rabino, le habló a ella, una mujer inmoral. Como judío, le habló a una samaritana. Por todo esto, ella se inquietó. Aunque no entendiera bien la importancia de sus palabras, podía percibir una dimensión más profunda en la vida de Jesús. Él rehusó discriminarla y la aceptó. Este es el ejemplo máximo de evangelización como un estilo de vida.

Para esta mujer, la simple petición de Jesús fue un halago muy valioso. Estableció entre ambos un terreno común. De la misma forma, al construir puentes con nuestros conocidos, debemos procurar que el proceso sea recíproco. A veces, tu amistad comienza cuando le pides ayuda o un consejo a tu vecino. Tengo un amigo que siempre me regaña, diciendo: "No quiero ser siempre el ayudado; déjame ayudarte." Toda amistad debe ser un camino bidireccional de dar y recibir. Podemos buscar activamente las oportunidades de mostrar amor- ayudando a alguien con sus deberes cotidianos u ofreciéndonos a cuidar a sus niños, por ejemplo- y permitir que la otra persona lo haga también por ti. Nuestra sociedad le otorga demasiado valor a la autosuficiencia.

Al permitir que los demás te ayuden, les estás indicando que estás dispuesto a bajar tus defensas y ser vulnerable ante ellos. Esto les da la oportunidad de hacer lo mismo contigo, quizás sobre algún tema espiritual.

¿Te imaginas a Jesús con su tinaja de agua en la mano, dirigiendo la conversación, primero hacia un tema conocido- el agua del pozo- y luego a una realidad espiritual que la mujer desconocía por completo?

Todo esto lo logró por medio de preguntas. Jesús era un experto en hacer buenas preguntas. (Es una destreza que todos debemos dominar.) En su conversación con un abogado, Jesús comenzó con la pregunta: "¿Qué está escrito en la ley? ¿Cómo lees?" (Lucas 10:26). Inmediatamente, el hombre comenzó a hablar. En otro momento, cuando un fariseo le probó acerca del pago de impuestos, tomó una moneda en su mano y pregunto: "¿De quién es esta imagen, y la inscripción [en la moneda]?" (Mateo 22:20). Al gobernante rico que quería saber cómo obtener la vida eterna, Jesús le preguntó: "¿Por qué me llamas bueno?" (Lucas 18:19). Mediante las preguntas, movía a las personas a abrirse, escuchaba sus respuestas y luego les entregaba su mensaje con amabilidad.

También me parece conveniente utilizar las preguntas para mostrar un genuino interés en las demás personas. Más aún, si me cuesta llegar a conocer a alguien, intento salir de mí mismo (dejar de pensar en mí) y pensar en lo que puede estar sucediendo en su vida. Con una pregunta, y en corto tiempo, descubro muchísimas cosas acerca de la persona y nos encontramos en una conversación profunda. Logro conocer lo que les gusta y lo que les molesta. Por lo general, ellos se abrirán si nuestras preguntas surgen de un interés genuino. Como instrumentos en las manos de Dios, podemos comenzar con paciencia, partiendo de sus intereses particulares. Más adelante, podemos discutir mejor temas espirituales.

A veces, no es tan fácil lograr un denominador común. Mi esposa y yo desarrollamos una amistad estrecha con una pareja que expresaban un gran disgusto hacia el cristianismo, y en especial hacia los obreros cristianos. Cuando comenzamos a conocerlos, descubrimos que además tenían muchísimo conocimiento acerca de las flores y la historia de nuestra ciudad (habían vivido ahí desde su niñez).

A pesar de que la horticultura no es mi mayor pasión en la vida (¡todo lo contrario!), aprendimos mucho de ellos. Les planteábamos todas nuestras dudas sobre la jardinería y les escuchábamos hablar sobre las plantas y además aprendimos bastante sobre nuestra ciudad. Poco a poco, fuimos desarrollando un interés recíproco entre ambas parejas.

Cuando yo regresaba de un viaje, estos vecinos solían recibirme con sus preguntas: "¿Qué hacías en esa universidad? ¿Qué les dijiste a los estudiantes? ¿Realmente estaban interesados?" A medida que les respondía, lograba compartir con ellos el poder y la provisión de Jesús para cada persona. Era emocionante ver cómo crecía su interés. Cuando Billy Graham vino a Chicago en una de sus campañas evangelísticas, nuestros vecinos quisieron ir con nosotros a uno de los servicios religiosos. Tengo la impresión de que, si la invitación hubiera surgido de nosotros primero, ellos se habrían molestado y no hubieran ido. Habíamos tratado de escucharlos por un tiempo, para discernir dónde estaban en su búsqueda espiritual antes de mencionar a Jesús. Y valió la pena pasar todas esas horas hablando de flores, porque el proceso creó una confianza entre nosotros. Y sin esa confianza, no puede haber una relación verdadera y, por ende, no tendremos un testimonio eficaz.

3. Despertar interés

Al leer el resto de Juan 4, nos preguntamos: "¿Cómo logró el Señor despertar el interés de la mujer y derivar la conversación hacia su mensaje?" Evidentemente, controlaba la situación. Leamos más:

> "Respondió Jesús y le dijo: 'Si conocieras el don de Dios, y quién es el que te dice: Dame de beber; tú le pedirías, y él te daría agua viva.' La mujer le dijo: 'Señor, no tienes con qué sacarla, y el pozo es hondo. ¿De dónde, pues, tienes el agua viva? ¿Acaso eres tú mayor que nuestro padre Jacob, que nos dio este pozo, del cual bebieron él, sus hijos y sus ganados?'

> Respondió Jesús y le dijo: 'Cualquiera que beba de esta agua, volverá a tener sed; mas el que beba del agua que yo le daré, no tendrá sed jamás; sino que el agua que yo le daré será en él una fuente de agua que salte para vida eterna.' La mujer le dijo: 'Señor, dame esa agua, para que no tenga yo sed, ni venga aquí a sacarla.' " (Juan 4:10-15)

Es fascinante ver cómo la curiosidad de esta mujer fue aumentando y comenzó a arder en ella a medida que Jesús guiaba la conversación. Sin duda, su respuesta tan positiva a Jesús y a su mensaje se debió en gran manera a su acercamiento hacia ella.

Si seguimos el ejemplo de nuestro Señor, podemos aprovechar los pequeños sucesos en nuestras relaciones para llegar a una conversación sobre temas espirituales. Un vecino le dijo a mi sobrino y a su esposa: "He estado observando a tu familia y a tus tres hijas, y me gusta lo que veo salir de tu hogar." Aprovecharon esta oportunidad para hablar sobre algunas pautas bíblicas para la vida familiar. Incluso cosas que parecen pequeñas pueden abrir puertas para un testimonio verbal.

Se puede aprender a hablar de Dios de manera agradable y aser-
tiva sin ser imprudentes. Para empezar, podemos tantear el terreno
con algunos temas que dirijan la conversación y ver si hay alguna respuesta. Jesús hizo esto cuando provocó a la samaritana a hacer una
pregunta. Él menciono la sed y ella respondió inmediatamente.

Una vez la persona no creyente toma la iniciativa para mostrarnos
algún tipo de respuesta, nos quita la presión de encima. Podemos, entonces, retomar la conversación en otro momento diciendo algo como:
"Estaba pensando en la conversación que tuvimos ayer…" o "Leí algo
que me recordó lo que me decías el otro día…" o "¿A qué te referías
cuando dijiste… ayer?" Ya no hay presión ni vergüenza al volver al
tema de nuevo. Por otro lado, si intentamos obligar a la persona a
no resistirse, solemos empeorar la situación. Recuerda cómo Jesús
dirigía la conversación con gentileza.

Aunque quisiéramos, no podemos fabricar interés espiritual en
la vida de los demás. Sólo el Espíritu Santo puede hace esto. Sin
embargo, podemos ser instrumentos en su mano para destapar el
interés que ha puesto en ellos. Nos daremos cuenta de que hay personas con interés espiritual y no tenemos que lanzarnos sobre los que
no lo tienen. Es un gran alivio descubrir que tenemos permiso para
abandonar el tema si vemos que no hay respuesta.

Aliviados ya de la tensión de una conversación forzada con alguien
que no está dispuesto, podemos retomar el tema en otra ocasión. Si
confiamos en la dirección del Señor, podremos introducir temas espirituales de manera natural. Cuando estamos testificando, debemos
asumir una actitud relajada y un tono natural, como si habláramos del
partido de fútbol, de nuestro examen de física, de las aventuras de
nuestro hermanito o de nuestras próximas vacaciones.

Todas las personas que he visto que Dios ha usado en la evangelización personal han ido esperando encontrar personas interesadas.
En un grupo de personas o en conversaciones individuales, se preguntan: "Señor, ¿estás trabajando en esta persona?" Luego, a medida que
el Espíritu dé la oportunidad, proceden a tantear a la persona.

4. Mover el asunto

La pregunta es, cómo logramos que arranque la conversación. Jesús lo hizo mediante una afirmación críptica que provocó rápidamente una pregunta de la mujer samaritana. Su declaración hablaba de una necesidad básica de ella y, a la vez, insinuaba que Él tenía la capacidad y la disposición de suplir esa necesidad.

> "Respondió Jesús y le dijo: 'Si conocieras el don de Dios, y quién es el que te dice: Dame de beber; tú le pedirías, y él te daría agua viva.' La mujer le dijo: 'Señor, no tienes con qué sacarla y el pozo es hondo. ¿De dónde, pues, tienes el agua viva? ¿Acaso eres tú mayor que nuestro padre Jacob…?' " (Juan 4:10-11)

Para testificar, podemos comenzar por hacer una declaración o alguna pregunta capciosa. Jesús comenzó mencionando "el don de Dios". Él también previó las reacciones de la mujer. Sus preguntas nunca lo tomaron por sorpresa. Para aprovechar mejor cada oportunidad, también debemos considerar de antemano las posibles respuestas. Al pensar en probables situaciones, pensemos en cómo iniciar la discusión y cómo manejar sus respuestas.

Al mencionar la religión en una conversación, muchos cristianos usan las siguientes preguntas para hacer que aflore el interés espiritual que puede estar latente.

- "Oye, de paso, ¿estás interesado en temas espirituales?"
  Algunos dirán que sí. Pero aunque digan que no, podemos continuar.

- "¿Qué crees que significa ser cristiano?"
  A la gente le encanta que se les escuche dar su opinión. Con su respuesta, también entenderemos mejor cómo piensan los no creyentes, y esto puede que nos sorprenda. Después de que les escuchemos, estarán mucho más dispuestos a escucharnos a nosotros. Las respuestas a esta pregunta suelen estar centradas en alguna acción externa como ir a la iglesia, leer la Biblia, orar, ofrendar el diezmo o bautizarse.

Después de una respuesta así, podemos afirmar que los cristianos normalmente sí que hacemos esas cosas, pero luego les podemos señalar que no es eso lo que significa *ser* cristiano. Los verdaderos cristianos tienen una relación con Jesucristo como una persona viviente. Después de eso, los verdaderos cristianos querrán *hacer* todas las cosas que ya mencionamos. Si, mientras explicamos esto, los no creyentes siguen mostrando interés, podemos seguir la conversación.

- **"¿Te gustaría ser un cristiano verdadero?"**
  Una cantidad asombrosa de personas andan vagando hoy día en una niebla espiritual, deseando que alguien les guíe hacia la certeza espiritual. Es común que en la conversación se hable de asistir a la iglesia o, incluso, de haber sido criado en una iglesia. Esta es la oportunidad de decir: "Probablemente, has visto que en tu iglesia sucede lo mismo que en la mía: algunas personas allí conocen personalmente a Jesús y otras no. Ser miembro de una iglesia- de cualquier denominación- no te garantiza que conoces a Dios realmente." Esto nos da la oportunidad de discutir la diferencia entre un trasfondo cristiano, incluso una actitud religiosa, y conocer a Cristo personalmente.

Si estamos alerta, podemos aprovechar otras oportunidades para hacer comentarios provocadores. Sin embargo, veces fracasamos en el arte de conversar, porque, cuando se nos ocurre un buen comentario, ¡ya ha pasado el momento! Por esta razón, es conveniente planificar algunos comentarios que podemos usar para hablar del Señor en conversaciones cotidianas.

Otra forma de iniciar el proceso es buscar oportunidades de compartir nuestras experiencias espirituales. A medida que nos vamos acercando a las personas, comenzarán a explicarnos sus cargas, anhelos, aspiraciones, frustraciones y vacíos, de manera que podremos decir (si nuestra experiencia fue parecida) con delicadeza: "Sabes, yo también me sentía así hasta que tuve una experiencia que cambió totalmente mi perspectiva sobre la vida. ¿Quieres que te lo cuente?" Si decimos algo más bien críptico y ofrecemos hablar de nuestra experiencia, en vez de obligarlos a escucharla, evitamos que las personas se sientan víctimas de una descarga violenta de información. Si nos piden que les contemos nuestra experiencia, debemos ser breves y enfatizar la realidad de Cristo en nuestra vida, eliminando los detalles aburridos e irrelevantes. Debemos decir sencillamente lo que Jesús significa para nosotros actualmente.

¿Qué pasa si nuestra experiencia no se compara con la que nuestro amigo nos ha contado? ¿Qué le decimos? Sabemos que Cristo es una realidad en nuestra vida, así que podemos decir: "Sabes, yo también me sentiría así, si no fuera por una experiencia que cambió mi perspectiva sobre la vida. ¿Quieres que te la cuente?"

Quienes nos hemos criado en hogares cristianos y en la iglesia, a veces desarrollamos un complejo de inferioridad, porque no podemos hablar de un cambio dramático en nuestra vida cuando nos convertimos.

No podemos decir: "Yo era un adicto a la heroína, y ahora, ¡mira lo que Cristo ha hecho por mí!" Si entregamos nuestra vida a Jesucristo durante nuestra niñez, probablemente no notamos muchos cambios en nuestra vida.

No debemos sentirnos inferiores o avergonzados por esto, como si nuestra experiencia fuera menos genuina que la de quienes tienen testimonios espectaculares. La conversión de Pablo fue realmente dramática, pero debemos recordar siempre que la de Timoteo fue igual de verdadera. Desde niño, escuchaba la Palabra de Dios por la enseñanza de su abuela Loida y su madre Eunice. (2 Timoteo 1:5) La

gran pregunta para nosotros es si Jesucristo verdaderamente es una realidad dinámica en nuestras vidas.

Casi todo el mundo pasa por etapas que les llevan a pensar sobre la
religión y que nos dan amplia oportunidad de poner en marcha una
buena conversación. En el caso de los estudiantes, la puerta se puede
abrir por medio de fracasos académicos, desilusiones amorosas o ansiedad ante decisiones importantes. Cuando se trata de matrimonios
jóvenes, el nacimiento de su primer hijo puede hacerles pensar sobre
la enseñanza religiosa. A medida que las familias crecen, los problemas con sus adolescentes pueden desesperar a los padres. Los conflictos físicos, emocionales y financieros pueden traer consigo nuevos
temores. Los divorcios son particularmente traumáticos. En cada una
de estas situaciones, podemos hablar de la necesidad que tenemos
de Dios. Cuando nuestra vecina nos llamó para decir que su esposo
había sufrido un ataque cardíaco, oré con ella por teléfono. Mi esposa
le llevó comida a la familia. Después, le regalé un libro para que lo
leyera.

Una mujer llamó a nuestra casa porque quería saber si debía construir una casa nueva o quedarse con la que tenía. Mi esposa habló con
ella y le contó que, en un momento muy difícil de su vida, Jesucristo le
había dado paz y sabiduría. La mujer, a quien evidentemente el Espíritu
Santo había preparado, respondió: "Yo quiero eso.

¡Eso es justo lo que quiero!" Al día siguiente, nos sentamos con
ella en nuestro salón, le hablamos y le leímos pasajes de la Biblia. Ella
prácticamente nos rogó que la ayudáramos a entregar su vida a Jesús.
Claro, no todo el mundo está tan deseoso y dispuesto; ella estaba
conmovida y se comprometió con el Señor, quien la guió en todas sus
decisiones de su vida.

Todavía recuerdo el gozo que sentimos mientras le leíamos:

"Nadie tiene mayor amor que este, que uno ponga su vida por
sus amigos." (Juan 15:13)

Nuevamente, podemos estar hablando sobre la iglesia o alguna actividad religiosa, pero, si lo manejamos correctamente, podemos despertar interés en el evangelio. Una pregunta que me suelen hacer cuando viajo es: "¿En qué trabajas?" Antes, siempre respondía sencillamente con: "Soy un empleado del ministerio estudiantil InterVarsity." Esta respuesta no conducía la conversación a ningún lugar. En algún momento, alguien me comentó que las respuestas que describen una actividad o función siempre dicen más que una lista de nombres y títulos. De manera que ahora, cuando me preguntan cuál es mi trabajo, más bien explico lo que hago: "Hablo con estudiantes acerca de Jesucristo y su relación con nuestra vida diaria." Por lo general, eso provoca una respuesta como: "Suena interesante", a lo cual yo respondo: "Sí, sí que lo es. De hecho, hace poco hablaba con un estudiante que me dijo…" y les cuento un poco sobre alguna conversación real. Luego pregunto: "De paso, ¿te interesan los temas espirituales?" Y la conversación ya está en marcha.

En una discusión sobre las noticias del día, la crisis mundial o algún otro evento de la actualidad, puede ser apropiado preguntar: "¿Cuál pensáis que es la raíz de los problemas del mundo?" Después de escuchar que le echan la culpa a varias causas externas, podemos decir: "A mí me ha ayudado ver lo que Jesucristo dijo al respecto." En esos momentos, si la persona aún está interesada, trato de exponer el diagnóstico de Jesús en cuanto a la naturaleza humana (separada de Dios) en Marcos 7:21-23. Las personas mismas, por sus actitudes internas, son el problema principal. Como bien lo dijo G.K. Chesterton, "¿Qué es lo que está mal en el mundo? Lo que está mal en el mundo… soy yo." Y la única solución al problema del "yo" es Jesucristo, quien ha prometido darnos una nueva vida y una nueva razón para vivir.

Otra manera de estimular conversaciones sobre asuntos espirituales es hablar de libros o folletos con temas provocadores.

Una familia cercana a nosotros tenía tres hijos complicados, de tres, cuatro y cinco años de edad. Siempre hablaban de lo difícil que les resultaba criar a sus hijos. Un día, les presté dos libros con una perspectiva cristiana sobre la crianza de los hijos. Después de eso, no tuve ningún problema en discutir sobre Jesucristo con ellos.

También hemos tenido algunas conversaciones interesantes que surgieron cuando nuestros amigos comenzaron a hojear los libros que tenemos en nuestro salón. Hay una variedad de libros seculares y algunos libros cristianos especiales. Animamos a nuestros amigos a que los tomen prestados. Nos da la oportunidad de decir: "Me gustaría saber tu reacción a este libro." Tengo la costumbre de llevarme dos libros cuando viajo. Dos muy buenos son: *Christianity for the Open-Minded*, de Michael Cassidy, y *Sobre la roca*, de John R.W. Stott (Publicaciones Andamio). Después de una conversación, puedo ofrecer alguno de ellos, diciendo: "Este librito me ha ayudado. ¿Te gustaría tenerlo?" Si no logré conversar mucho con la persona, al menos le dejo más información para que la considere.

Otra forma de iniciar el proceso es invitar a las personas a un grupo pequeño de estudio bíblico en una casa o en la iglesia. Si el ambiente es relajado y no amenazante, he visto buenas respuestas de algunas personas que están pensando acerca de Dios o de aquellos que se sienten solos y agradecen la oportunidad de intimidad. Puede ser un excelente vehículo para aclarar los hechos acerca de Jesucristo.

Hay dos elementos que deben estar presentes en este tipo de grupo. Primero, debe haber un ambiente en el cual nadie se sienta como el blanco de ataques ni como niños ignorantes. Es conveniente que la dinámica del grupo incluya la discusión. De esa manera, cada cual puede expresar libremente sus dudas o preguntas. Lo segundo es tener un plan definido para el tema que se va a discutir e incluir un período específico de tiempo. Para principiantes, un estudio de seis semanas suele ser atractivo. O un estudio sobre el libro de Marcos durante dieciséis semanas. En estudios así, he visto la transformación de personas agnósticas que acaban afirmando la veracidad de las declaraciones de Jesús. Luego, puedes tomarte un café con ellos para hablarles sobre su compromiso personal.

Otros eventos grupales, como conciertos o películas cristianas, ayudan a la persona a experimentar la comunión cristiana. Un grupo de cristianos vivos y apasionados puede abrir los corazones más fríos. Además, una vez se comprometan con el Señor, queremos que se unan a una comunidad de creyentes, siempre que sea posible. No buscamos sólo decisiones; oramos por gente que siga a Jesucristo de todo corazón y que crezcan hasta ser cristianos maduros.

En situaciones así, estaremos menos nerviosos si pensamos de antemano en algunas cosas que decir. Si estamos tensos, los demás también lo estarán, pero, si nos relajamos, ellos también lo harán. Si estamos avergonzados de nuestra fe, lo notarán fácilmente. Cuando suponemos que la gente no tiene interés, nos estamos derrotando a nosotros mismos antes de empezar. Por otro lado, si pensamos que sí habrá interés, es más probable que recibamos una respuesta positiva. Mientras aumenta nuestra confianza, el Espíritu Santo nos guiará hacia las personas interesadas. Cada encuentro fructuoso con alguien no creyente nos aumentará la fe y la confianza para la próxima ocasión.

5. No te pases

La próxima parte de la conversación de nuestro Señor nos revela los principios cinco y seis: No des a las personas más de lo que están preparados para recibir y no los condenes.

> "Respondió Jesús y le dijo: 'Cualquiera que beba de esta agua, volverá a tener sed; mas el que beba del agua que yo le daré, no tendrá sed jamás; sino que el agua que yo le daré será en él una fuente de agua que salte para vida eterna.' La mujer le dijo: 'Señor, dame esa agua, para que no tenga yo sed, ni venga aquí a sacarla.' Jesús le dijo: 'Ve, llama a tu marido, y ven acá.' Respondió la mujer y dijo: 'No tengo marido.' Jesús le dijo: 'Bien has dicho: No tengo marido; porque cinco maridos has tenido, y el que ahora tienes no es tu marido; esto has dicho con verdad.' Le dijo la mujer: 'Señor, me parece que tú eres profeta'." (Juan 4:13-19)

A pesar del evidente interés y curiosidad de la mujer, Jesús no le dio todo el mensaje a la vez. Poco a poco, cuando ella estaba lista para recibir más, Él iba revelando más de sí mismo. Luego, cuando la curiosidad de ella ya había llegado al punto máximo (v. 26), Él se identificó como el Mesías prometido.

A veces, tan pronto notamos el más mínimo indicio de interés en un no cristiano, nos vemos tentados a avanzar y soltarles todo el evangelio de golpe, sin parar para tomar aire ni para esperar una respuesta de la persona. "Después de todo", pensamos, "¡puede ser mi única oportunidad! Pero si dependemos del poder y la presencia del Espíritu Santo, podemos adquirir soltura. Cuando los no cristianos están empezando a mostrar interés, la situación es frágil y debemos persuadirles con delicadeza. De otra forma, pueden huir como pájaros asustados por nuestro movimiento brusco. Por otro lado, si tenemos una actitud más casual y relajada, puede que ellos mismos nos pidan que compartamos más.

Además de todo esto, al explicar la fe cristiana, comienza por averiguar en qué cosas básicas estáis de acuerdo. ¿Creen en Dios? ¿Qué opinión tienen acerca de Dios? ¿Creen que Él está enojado con ellos? ¿Quién creen ellos que fue Jesús? ¿Tienen algún pasaje favorito de la Biblia? No presupongas que son totalmente ignorantes. Busca una base sobre la cual puedas construir. Siempre que te sea posible, afírmales en aquello que ya creen. Al principio, me centraba en la idea de corregirlos; es decir, corregir su teología. "Oye, déjame decirte por qué el universalismo está equivocado." Pero con mi actitud los alejaba. Nadie quiere escuchar a un sabelotodo.

Todas las personas que conocemos, en términos generales, forman parte de uno de dos grupos. Los del primero no tienen información sobre Jesucristo y, si quisieran ser cristianos, no sabrían cómo hacerlo. El segundo grupo tiene toda la información necesaria y sólo necesitan responder a esa información. A este último grupo, es mejor no acosarlos con el evangelio cada vez que los vemos.

Una vez estemos satisfechos, en nuestra mente, de que una persona entiende bien el evangelio, lo mejor es no hablar del tema hasta que ella misma lo mencione. Mientras tanto, no debemos alejarnos, sino seguir amándola y orando intensamente para que entre en el reino de Dios.

Tuve un amigo joven que nos acompañó a varios estudios bíblicos durante un tiempo y se leyó varios libros cristianos. Entendía bastante bien el mensaje del evangelio. Una noche, fuimos a ver juntos una película cristiana y luego fuimos a tomar un café. Era evidente que el Espíritu de Dios lo había tocado, pero yo sentía que su muro de resistencia seguía ahí. Esta vez, decidí no hablar de Jesús hasta que él tocara el tema. Finalmente, exclamó molesto: "¡No pienso convertirme en cristiano!" Lo único que se me ocurrió responderle fue: "Esa es tu decisión." Él ya tenía toda la información que necesitaba; la decisión era suya. Yo sentí que era inútil seguir presionándolo para que se comprometiera.

Es útil recordar que no es cosa fácil comprender la verdad espiritual. Sólo tratar de entender la idea de Dios hecho hombre es un ejercicio profundo y agotador. Permite que las verdades divinas vayan penetrando en la mente y el corazón de tus amigos. Puede llevar bastante tiempo. En nuestra iglesia, hay una mujer mayor que no hace mucho que es cristiana, pero ha crecido muy rápidamente y ya enseña en la escuela bíblica. Ella nos dice que no llegó a comprender cuán pecadora era hasta pasados seis meses desde su conversión. Ve con calma y deja que el Espíritu dirija.

6. No condenes

En el sexto principio, vemos que Jesucristo no condena a la mujer. Cuando ella respondió a su pregunta sobre el marido, su pecado mismo la condenó. Jesús no obvió la pregunta sobre los maridos, pero tampoco la juzgó ni la señaló con un dedo acusador.

En un incidente parecido, trajeron a Jesús una mujer que fue hallada en el acto del adulterio y Él le dijo directamente: "Yo tampoco te condeno… ahora ve y no peques más." (Juan 8:11) La mayoría de nosotros en cualquiera de estas situaciones hubiéramos estado prestos a condenar. Quizás es que tenemos la idea equivocada de que, si no condenamos una actitud o acto, lo estamos aprobando. Pero nuestro Señor no actuó de esa manera.

Como cristianos, no podemos permanecer inmóviles ante la presencia del pecado que claramente nos separa de Dios y nos destruye. Este pecado es la razón por la cual Jesucristo vino a la tierra a entregar su vida. Debemos expresar ese dolor y esa angustia. No podemos estar gozosos al enfrentarnos al pecado destructor. Lo difícil es cuando nos sentimos asqueados por la suciedad del pecado pero queremos amar a la persona. El dolor y el cariño se pueden expresar a la vez. La severidad y el cariño, no. Me asombra esta imagen del Hijo de Dios, santo y divino, delante de una mujer pecadora, expresándole amor y perdón. "Yo no te condeno; hay perdón; ¡hay un camino mejor!" Recibimos gozo y aliento cuando le damos la espalda al pecado ("ve y no peques más") y nos vemos inundados de ese perdón.

Aunque nunca nos hayan pillado en un pecado tan evidente como los pecados de estas mujeres, no debemos olvidar nuestra propia necesidad de perdón. Nuestro mensaje nunca ha sido que somos buenos y morales y que queremos que todos sean tan buenos como nosotros. Nunca debemos hablar del pecado de alguien sin ponernos en su misma posición, necesitados de ayuda y de perdón. Más aún, no podemos permitir jamás que nuestros pecados menos evidentes dejen de repugnarnos, a la vez que nos escandalizamos por la maldad más obvia de otra persona. Hasta el apóstol Pablo afirmaba con frecuencia que él era el más vil de los pecadores.

Una buena norma para seguir en todas nuestras relaciones es el sencillo refrán: "Más se consigue con miel que con hiel." No sólo debemos evitar condenar a la gente, sino que necesitamos aprender el arte del buen cumplido. A muchas personas les conmueve recibir un halago sincero. La crítica nos puede resultar más natural que la alabanza, pero la alabanza hace que los demás se abran más al evangelio.

En su libro *Taking Men Alive,* Charles Trubmull afirma que en cada persona podemos descubrir al menos una cosa digna de un halago sincero. Para probar esto, describe una experiencia que tuvo en un

tren. Entró en su vagón un hombre borracho maldiciendo. Fue tamba-
leándose hasta el asiento al lado de Trumbull y le ofreció un sorbo de
su botella. En su interior, Trumbull sintió asco, pero, en vez de atacar
verbalmente al hombre por su conducta, le respondió: "No, gracias,
pero se ve que eres un hombre muy generoso." Los ojos del hombre
se iluminaron a pesar de su sopor, y comenzaron una conversación.
Ese día, el hombre escuchó las palabras de Cristo. Estaba muy con-
movido y, más adelante, aceptó al Salvador.

7. Céntrate en lo principal

Cerca del final del diálogo entre nuestro Señor y la mujer samaritana,
vemos dos últimos principios que aplicar a nuestras conversaciones
evangelísticas:

> "Nuestros padres adoraron en este monte, y vosotros decís que
> en Jerusalén es el lugar donde se debe adorar." Jesús le dijo:
> "Mujer, créeme, que la hora viene cuando ni en este monte ni en
> Jerusalén adoraréis al Padre. Vosotros adoráis lo que no sabéis;
> nosotros adoramos lo que sabemos; porque la salvación viene
> de los judíos. Mas la hora viene, y ahora es, cuando los verda-
> deros adoradores adorarán al Padre en espíritu y en verdad;
> porque también el Padre tales adoradores busca que le adoren.
> Dios es Espíritu; y los que le adoran, en espíritu y en verdad es
> necesario que adoren." Le dijo la mujer: "Sé que ha de venir el
> Mesías, llamado el Cristo; cuando él venga nos declarará todas
> las cosas." Jesús le dijo: "Yo soy, el que habla contigo." (Juan
> 4:20-26)

Nuestro Señor no permitió que ninguna pregunta secundaria le distra-
jera del asunto principal. La mujer preguntó dónde debía adorar, si en
el monte Gerizim o en Jerusalén. Jesús hizo que la conversación girara
nuevamente hacia sí mismo y cambió el énfasis de la pregunta: en vez
de *dónde* adorar, habló de *cómo* adorar.

Probablemente, la pregunta de la mujer era legítima, pero Jesús no
quiso desviarse del tema. La actitud de ella me recuerda a la pregunta

honesta que muchos tienen hoy día: "¿A qué iglesia debo asistir?" O puede que nos pregunten acerca de los hipócritas en la iglesia, de errores en la Biblia, de por qué tantas denominaciones dentro de la iglesia, y de mil cosas más. Cualquier pregunta legítima nos puede desviar del tema principal. Y Jesús dejó muy claro cuál era el tema principal: Él mismo.

Cuando estamos dando testimonio, no podemos abandonar nunca el mensaje central de la reconciliación. Si nos enfrentamos a personas implicadas en actos particularmente repugnantes, debemos recordar la manera en que el Señor Jesús se acercó a la mujer de Samaria. Y también su actitud hacia Leví y Zaqueo, quienes eran ladrones y tramposos. Cuando hombres y mujeres de todo tipo conocen a Jesucristo, sus vidas son transformadas. Hay una canción sobre Zaqueo que acaba con un verso hermoso que resume el mensaje que queremos transmitir: "Y así vino Él; su objetivo: la transformación."

8. Confronta directamente a la persona

Finalmente, al declararle a la samaritana que Él era el Mesías, Jesús llegó al punto culminante de su mensaje: "Yo soy, el que habla contigo." De igual forma, cuando ya hemos construido el puente de la amistad- sea en una ocasión específica o durante un largo tiempo-, en algún momento debemos cruzar ese puente y confrontar directamente a nuestros amigos con el Señor Jesucristo para que entiendan que tienen una responsabilidad personal de decidir a favor o en contra de Él.

Un embajador eficaz debe saber cómo invitar a alguien a decidir sobre el mensaje que le ha comunicado. Hay muchas personas que saben construir los puentes de la amistad, tomar iniciativa en la conversación y comunicar el mensaje, pero, cuando les toca ayudar a las personas a cruzar la línea, se quedan totalmente desconcertados.

¿Cómo puedes descubrir si alguien está preparado para esto sin ser muy brusco? La respuesta sencilla es: ¡Pregúntale! ¿Cómo?

Por un tiempo, solía preguntar: "¿Eres cristiano?", pero luego descubrí que esa no era la mejor forma, por varias razones. En primer lugar, muchísima gente me decía que sí, pensando que conocían lo que significa ser cristiano. Pero pronto me daba cuenta, a la luz del Nuevo Testamento, de que en realidad no eran cristianos. El problema es que, una vez te respondan esa pregunta, no puedes decir: "Lo siento, amigo. Estás equivocado, por todas estas razones…" Seguramente no apreciarán una actitud así. La gente tiene derecho a creer lo que ellos mismos decidan, pero no a redefinir el cristianismo. Sólo Jesucristo tiene el derecho y la autoridad de establecer los términos del cristianismo.

Escuché a Leith Samuel, de Southampton, Inglaterra, cuando vino a dar unas charlas, y mencionó las siguientes preguntas que para mí han sido de incalculable valor:

- "¿Alguna vez has confiado personalmente en Jesucristo, o aún estás de camino?"

  Esta pregunta define inmediatamente lo que es un cristiano y, además, le permite saber a la persona que estás preparado para una repuesta negativa y no te escandalizarás. Es muy común que la persona te responda: "Me has descrito perfectamente. Así me siento, estoy de camino."

- "Eso es interesante. ¿En qué etapa del camino estás?"

  Esta segunda pregunta sigue a la primera y ayuda a la persona a abrirse más. Es asombroso ver cuántas veces he escuchado a las personas explicarme -sin vergüenza ni titubeos- lo adelantados que están en su peregrinaje espiritual. Y esta es información valiosísima para nosotros. Una vez escuchamos dónde están, podemos ayudarles a superar lo que les falte. Nuestro objetivo, por supuesto, es conocer dónde está la persona y ayudarle a avanzar un poco en ese camino.

- "¿Te gustaría ser un cristiano verdadero y estar seguro de que lo eres?"

  Paso a esta tercera pregunta si las personas han respondido

a las anteriores, lo cual sucede con frecuencia. Nuevamente, quiero enfatizar que hay una cantidad asombrosa de personas que están deseosas de alcanzar la certeza espiritual, pero nadie les ha dicho cómo obtenerla. Están esperando que alguien les pregunte y les guíe. De manera que puedes decirle a las personas con quienes has hablado ya del evangelio: "¿Alguna vez has confiado personalmente en Jesucristo, o aún estás de camino? ¿En qué etapa del camino estás? ¿Te gustaría ser un cristiano verdadero y estar seguro de que lo eres?"

Nuestros ocho principios, entonces, son los siguientes: conocer personalmente a los no cristianos; establecer un interés mutuo mediante la conversación; despertar el interés de la persona mediante tu vida y tus palabras; dirigir la discusión para lograr que las personas estén receptivas y dispuestas; aceptar e incluso halagar, en vez de condenar; mantenerse centrado, y perseverar hacia la meta. Una vez entendemos estos principios y comenzamos a marchar en ellos por fe, la vida se vuelve fascinante.

Miraremos con expectativa, esperando las próximas oportunidades que Dios nos dará para dar testimonio de Él como embajadores de Jesucristo y para descubrir cómo está trabajando en las vidas de los demás a través de nosotros.

PREGUNTAS PARA EL ESTUDIO INDIVIDUAL O EN GRUPO

1   Paul Little señala que el contacto de Jesús con los samaritanos fue tan radical como si un israelí acampara con la Organización para la Liberación Palestina (OLP). De hecho, la actitud de Jesús hacia los samaritanos hace difícil que creamos que los judíos los odiaban. ¿Cómo pudo Jesús tratar con tanto respeto a la samaritana? En Lucas 10:25-37, 17:11-19 y Juan 4:4-42, ¿cómo mostró Jesús su respeto y amor por este pueblo?

2   De acuerdo con este capítulo y según tu propia experiencia, ¿cómo podemos mostrar respeto y aprecio por los no cristianos?

3   El autor menciona una época en la que los no cristianos le preguntaban cuál era "la diferencia" en la familia de su sobrino. Si eres uno de los muchos buenos cristianos a quienes *nunca* les ha pasado esto, ¿cómo manejas esta potencial desilusión?

4   En el pasado, ¿cómo has logrado traer el tema de Cristo y sus afirmaciones? Repasa las sugerencias de este capítulo para abordar el tema (págs. 66-72). ¿Cuáles podrían funcionarte?

5   Los cristianos solemos tener la oportunidad de compartir nuestras experiencias espirituales cuando alguien nos pide un consejo. ¡El problema es saber qué decir! Tómate un tiempo para pensar en dos o tres situaciones en las que conocer a Cristo te ayudó ante algún problema o temor. Piensa en cómo podrías compartir estas experiencias con algún no cristiano (enfatizando la realidad de Cristo hoy, eliminando detalles innecesarios, etc.).

6   Paul Little utiliza la literatura cristiana en el momento de evangelizar. ¿Tienes libros, folletos, revistas, artículos o grabaciones cristianas que creas que un no cristiano podría apreciar? ¿Hay alguien a quien puedas prestarle tu copia hoy?

7   Este capítulo recomienda que invitemos a amigos no cristianos a eventos cristocéntricos (estudios bíblicos, conciertos, películas). ¿Tienes oportunidad de hacer esto en el futuro cercano?

8   El autor dice que es fácil decirle a los no cristianos más de lo que ellos están preparados para escuchar. ¿Cómo podemos evitar este error tan perjudicial?

9   Este capítulo termina con una advertencia: Es dañino condenar a otros o vernos como superiores a los demás. ¿Cómo podemos ayudar a las personas a verse de manera realista delante de Dios, sin condenarlas?

10   Paul Little ofrece seis principios para evangelizar: hacer contacto social, establecer un denominador común, despertar interés, soltar el anzuelo, no ir demasiado lejos, no condenar. ¿Qué añadirías tú a esta lista?

SUGERENCIAS PARA UN LÍDER DE GRUPO

1   Permite que los participantes compartan cómo pusieron en práctica el estudio de la semana anterior. Podéis discutir por qué lo lograron o por qué fracasaron.

2   Puedes dividir el grupo en parejas para que practiquen juntos cómo hacer y responder a las preguntas: "¿Qué crees que significa ser un verdadero cristiano?" y "¿Te gustaría ser un cristiano verdadero ahora?" Pídele a las parejas que compartan con los demás lo que aprendieron de este ejercicio.

04 SUPERAR BARRERAS SOCIALES

Todo aquel que salga de la zona segura de un grupo cristiano y se adentre en el mundo real se enfrentará a situaciones delicadas. Debemos reflexionar de antemano cómo podemos lidiar con ellas y desarrollar algunos principios que se apliquen en distintas circunstancias.

ACTÚA CON DELICADEZA

Por ejemplo, ¿cómo debemos reaccionar ante las palabrotas o las obscenidades? Tal vez, pensamos que lo correcto es asumir inmediatamente nuestra actitud de santurrón, sacar el dedo acusador e imponer la decencia, ya sea con nuestra reprimenda o con un silencio hiriente. Después de todo, ¡somos hijos del Dios santo! Cuando reaccionamos así en un grupo de amigos o de compañeros de trabajo, lo único que logramos es alejarlos. Ellos sólo hacen lo que les resulta natural y, si los criticamos, podemos perder la oportunidad de crear una amistad con ellos. Si nos ponemos de mal humor cada vez que alguien dice una palabrota, podemos provocar que aumenten su repertorio de obscenidades a propósito, sólo para fastidiarnos, y acabamos agravando el problema que queríamos resolver.

En su estudio del Sermón del Monte, el Dr. Martyn Lloyd-Jones dice: "Esperar una conducta cristiana de alguien que no ha nacido de nuevo es una herejía. El llamado del evangelio a la ética y la moral en la conducta se dirige a los cristianos."

El papel de un embajador de Cristo es principalmente ser testigo de un Dios que reconcilia. Por lo tanto, cabe preguntarse: ¿Lograré transmitir ese mensaje comportándome como un capataz, buscando corregir a todo el que se cruce en mi camino? ¿No sería esto empezar por el extremo contrario de la verdad de Dios? Recuerda siempre que es Dios, y no nosotros, quien transforma los corazones y la conducta. Y Él comienza por dentro.

Conozco a dos hombres que tenían un vocabulario bastante grosero. Uno de ellos maldecía constantemente y siempre andaba con una actitud agresiva. Creo que disfrutaba comportándose de la manera más ofensiva del mundo cuando estaba conmigo; parecía que estaba haciendo un esfuerzo especial para insultarme. Cada vez que me hablaba, lo hacía muy bruscamente. Yo decidí que no iba a seguir su juego y molestarme con él. (Estoy convencido de que eso es justamente lo que quiere lograr.) Además, sé que tiene muchas heridas profundas que no han sanado y que lucha con obstinación contra la idea de entregar su vida a Jesús. En situaciones como esta, los cristianos podemos mantener nuestra dignidad y no responder violentamente. Ahora bien, esto implica resistir nuestro impulso de reaccionar contra la persona de manera emocional.

El otro hombre, un poco más joven que el primero, también empleaba un lenguaje muy vulgar cuando lo conocí. Vino a un pequeño grupo de estudio bíblico con mucha ganas de aprender. Nadie dijo nada sobre su vocabulario, porque todos veíamos su implicación en el proceso de aprender. A veces, durante la discusión, decía palabrotas, pero no importaba mucho. Se veía que estaba absorbiendo todo lo que decíamos. Poco a poco, de una forma maravillosa, observamos cómo el Señor Jesús transformó a ese hombre. Se convirtió en un gran testigo y líder, y desarrolló un nuevo vocabulario, tan genuino y puro como su nuevo carácter. Todos aprendimos a mirar más allá del exterior y ver la intención de esa persona. Nos enseñó a ser más comprensivos.

Necesitamos entender que no somos capaces de cambiar la conducta de los demás, sean cristianos o no. A la luz de esto, si queremos acercar a alguien a Jesús, vale la pena tratarlo con delicadeza y sensibilidad. ¡No lo maltrates! Sólo lograrás impedir que te escuche.

LA META DEL EMBAJADOR

Si queremos tener la actitud correcta al tratar de superar las barreras sociales, nuestra pauta debe ser nuestra meta como embajador: acercarnos lo suficiente para lograr que escuchen el mensaje de reconciliación mediante Jesucristo.

Vemos este enfoque una y otra vez en la vida de Jesús. Fíjate cómo controló su conversación con Nicodemo hasta poder explicarle el nuevo nacimiento (Juan 3:1-5). Cuando sanó al paralítico, no se dejó intimidar por los escépticos que lo observaban. Llevó la discusión justo a donde la quería: "Para que sepáis que el Hijo del Hombre tiene potestad en la tierra para perdonar pecados…" (Lucas 5:24). Ellos necesitaban escuchar esto, y no permitió que le desviaran de ese mensaje. En otro momento, el Señor se enfrentó a una oposición tenaz de parte de los judíos incrédulos, y lo hizo con gran aplomo, como quien tiene el control de sí mismo y de la situación. Los judíos religiosos habían entendido por fin que Jesús alegaba haber venido del cielo y estaban decididos a desacreditarlo. Jesús los dejó hablar y luego fue directo al grano: "De cierto os digo: el que cree en mí tiene vida eterna. Yo soy el pan de vida." (Juan 6:47-48). Hay otros muchos ejemplos de esta firmeza de Jesús; sus ojos estaban siempre puestos en la meta.

Es fácil que nos confundamos cuando equiparamos el ser cristiano a algún patrón particular de conducta. Supongamos, por ejemplo, que creemos que beber alcohol es incorrecto. En el fondo, sabemos que debemos ser directos acerca de quiénes somos y de nuestro llamado como embajadores de Jesús. De pronto, nos invitan a tomar algo y nuestro reflejo es responder: "No, gracias. Yo no bebo, soy cristiano". Inmediatamente, se cierra una puerta de hierro entre la otra persona y nosotros. Ella se aleja como si fuéramos contagiosos y vemos que hemos perdido toda oportunidad de amistad. ¿Es eso un buen testimonio? Lo que en realidad hemos hecho es condenar a la persona, dándole a entender: "Tú no eres cristiano, ¡tú bebes!" ¡Cualquiera saldría huyendo!

Más importante aún, hemos hecho de esta prohibición un elemento inherente al cristianismo, y el cristianismo definitivamente no consiste en lo que *no* hacemos, sino más bien, en *quién* confiamos. Una respuesta como esa de la bebida diluye nuestro mensaje.

En nuestra cultura, miles de personas no cristianas tienen códigos morales muy estrictos y están de acuerdo con todos nuestros patrones de conducta. Obviamente, eso no significa que sean cristianos. Asimismo, en algunas culturas, los cristianos beben y eso no supone ningún problema; no les hace ser menos cristianos. Algunos de estos hábitos son el resultado de la costumbre y la convicción personal. Ahora bien, si un amigo nos invita a robar un banco y le respondiéramos: "No, gracias, soy cristiano", él vería claramente la conexión. El octavo mandamiento claramente prohíbe robar. No tenemos otra forma de interpretar: "No hurtarás."

En situaciones como esta, me dejo llevar por una pauta sencilla: No condenes a la otra persona y no comprometas tus convicciones. Además, he desarrollado algunas ideas que nos pueden ayudar a alcanzar esta meta.

HAZ UNA SUSTITUCIÓN

Cuando recibimos una invitación de parte de alguien cuyas costumbres y convicciones personales difieren de las nuestras, la clave es reconocer la generosidad implícita en la invitación y luego rechazar cortésmente la oferta basándonos en nuestra preferencia personal. De esa manera, la persona no se siente condenada ni rechazada. Una forma de decir "No, gracias" es sugerir una alternativa. Por ejemplo, si nos invitan a algún lugar al que preferimos no ir, podemos responder: "¡Gracias! Eso no me apetece mucho, pero avísame cuando vayas a un concierto (o partido, cine o cualquier otra cosa); me encantaría ir contigo." Si sugieres otra posible actividad, la persona no se siente rechazada personalmente.

Si a un no creyente no le interesa jugar al ajedrez, no siente la necesidad de disculparse mil veces, ponerse nervioso y responder: "No, gracias. No juego al ajedrez, soy ateo." Por supuesto que no. Responden casualmente, "No, gracias. No me gusta mucho el ajedrez. Pero avísame cuando quieras jugar al tenis." Como testigos de Jesucristo, podemos -y debemos- aprender a decir "No, gracias" con esa misma actitud sencilla y no avergonzada.

En la biografía de su hijo Sandy, Leighton Ford cuenta cómo Sandy se vio atrapado en este dilema de las conductas incompatibles. Él y otro estudiante estaban orando por sus compañeros estudiantes, pues querían acercarse a ellos. Poco después, los invitaron a una fiesta, pero había un pequeño problema. La idea de la fiesta era hacer juegos y competiciones para demostrar quién podía beber más licor más rápidamente. ¿Te imaginas a dos chicos cristianos en medio de eso? Sin embargo, estos dos chicos querían ser embajadores de Cristo para sus compañeros y decidieron que Dios quería que ellos fueran a la fiesta. Así que, mientras todos los demás llevaban licores y cervezas, ellos fueron con sus latas de Coca-Cola. Lo hicieron con tanta naturalidad, que todo el grupo los aceptó gustosamente e incluso desde entonces les conocían como "los chicos de la Coca-Cola".

Conozco a un hombre de negocios que, cuando le ofrecen alcohol, sólo dice: "Gracias, pero soy de los 'sin-alcohol'." Podríamos decir sencillamente: "No, gracias, pero ¿tienes una gaseosa?" Si tenemos un plan directo y una actitud confiada, los demás nos aceptarán mejor. Y en todo lo que hagamos, la relación que desarrollemos se debe caracterizar por el buen humor y la alegría.

PREPARA UN BUEN CHISTE

Hablando de humor, a veces sucede que nos encontramos en una conversación cada vez más subida de tono y nosotros, cada vez más incómodos. Quisiéramos salir de allí, pero nos vemos atrapados sin hallar la manera de excusarnos. En situaciones así, lo ideal es haberse preparado de antemano. Debes estar atento a algún espacio en la conversación en el que puedas integrarte y contar alguna historia sana y limpia. Explica un chiste tan gracioso, que nadie pueda evitar reírse.

Puede sonar extraño, pero hablo en serio. Estoy convencido de que todos los cristianos deben tener al menos cinco buenos chistes a mano en todo momento. El humor oportuno y bien escogido puede cambiar totalmente el tono de una conversación y te puede ayudar a superar una barrera difícil.

Recordar chistes es como recordar nombres. Tan pronto oigas uno bueno, úsalo. Si es necesario, escríbelo, y cuéntalo cada vez que puedas. Contra lo que muchos piensan, los cristianos no tenemos que abandonar nuestro sentido del humor cuando nos convertimos. Alguna gente ha estereotipado a los cristianos de esta manera. De hecho, una vez vi una viñeta de un grupo de una iglesia que iba a la estación de trenes a recibir a su nuevo pastor, a quien aún no conocían. Se acercaron a un hombre que pensaron que debía ser el pastor y el hombre les dijo: "No soy vuestro pastor; sólo me duele el estómago." No te preocupes; podemos corregir esta impresión. Tal vez no participemos del mismo tipo de humor que los demás, pero hemos de ser espontáneos, reír y disfrutar de la vida diaria, máxime si sabemos que hay gozo y deleite en seguir a Jesús cada día.

COMIENZA YA: AHÍ DONDE ESTÉS

Quizás estás pensando: "Todo esto suena muy bien, pero yo tendría que mudarme a algún lugar donde nadie me conozca y empezar de nuevo. Ya no hay forma de redimir este lío que he causado aquí." Si te sientes así, no te rindas. Ninguna situación es un caso perdido. Por tu parte, las cosas sí pueden cambiar.

Conozco a una joven que decidió- con la ayuda de Dios- empezar de nuevo. Llevaba ocho años trabajando en la misma oficina y todos los días, al mediodía, mientras sus compañeros de trabajo comían juntos, ella se sentaba a comer sola en una esquina alejada. No quería participar en algunos de los chistes y bromas que hacían y no sabía cómo ser luz en ese tipo de ambiente.

Finalmente, decidió entablar amistad con unos pocos. Su amor por sus compañeras le motivó a buscar algunas historias graciosas y comenzó a relacionarse con las otras mujeres durante la comida. Empezó nerviosa con la ayuda de algún que otro chiste y, seis meses más tarde, me dijo que las demás mujeres parecían estar contentas de que se hubiera unido. Incluso tuvo la oportunidad de testificar a dos de ellas. ¡Es cierto! Las cosas pueden cambiar ahí donde estás.

DAR GRACIAS EN PÚBLICO

Otro asunto que vale la pena discutir es el tema de orar antes de comer. Si estamos solos en un restaurante, no tenemos problema con inclinar nuestra cabeza y dar las gracias. Pero, a veces, nos encontramos en un grupo o en una comida de negocios y llega ese momento incómodo en el que queremos orar, pero lo disimulamos. Nos ponemos a jugar con nuestra servilleta o cubiertos y rogamos por unos segundos de silencio para poder orar y empezar a comer antes de que se enfríe la comida. Si alguien nos estuviera observando, pensaría que nos duele la cabeza o que estamos oliendo la comida. ¡Dar las gracias puede ser embarazoso! Un amigo cristiano se dio cuenta de esto y un día, en un restaurante, me dijo: "Bueno, ¿qué? ¿Nos rascamos la frente?", justo cuando llevaba mi mano a la frente para hacer mi gesto de disimulo mientras oraba. Nos reímos bastante del asunto, pero además yo aprendí una lección. Hasta ese momento, no me había dado cuenta de que siempre buscaba alguna táctica para distraer la atención de los demás mientras yo oraba.

Asegúrate de que tu manera de dar las gracias por la comida no ofenda a los demás ni les sugiera: "Eres pagano, no das las gracias." Para evitar este tipo de barreras a la amistad, puede ser buena idea mantener los ojos abiertos mientras agradecemos a Dios por nuestros alimentos. ¡En ningún lugar de la Biblia se nos ordena dar las gracias con los ojos cerrados! Dios mira nuestra motivación y nuestro corazón. En cualquier caso, creo que todos sabemos que la razón para orar por la comida es únicamente nuestra gratitud a Dios. ¡No es una herramienta de evangelización! Si tengo confianza con mis compañeros, a veces les digo: "Tengo la costumbre de dar gracias a Dios por mi comida. ¿Quieres que ore por los dos?" Si lo hacemos en la situación adecuada, esto no suele ser ofensivo.

RECIBIR VISITAS EN TU CASA

Cuando nos visitan en nuestra casa, la situación es distinta. Ciertamente, aunque tengamos visitas, debemos hacer lo que acostumbramos en la mesa. Una breve explicación basta para preparar a nuestros invitados. Podemos decir algo como: "Solemos dar gracias por nuestros alimentos antes de comer, así que voy a orar brevemente." Debemos explicar nuestra costumbre si nuestros invitados no son religiosos, por cortesía y para que no se sientan incómodos. Lo mismo vale si leemos la Biblia y oramos después de la cena. Como ya hemos dicho, debes ser natural y relajado y, sobre todo, cortés.

Un aspecto más amplio de nuestras relaciones con amigos nuevos es el tema de invitarles a nuestra casa. A veces, pensamos que no tenemos nada en común con los no cristianos y nos intimida la idea de que vengan a visitarnos. Nos preocupa no encontrar un tema que nos interese a ambos, que la visita sea un fracaso, que se aburran o que nos inviten a algún lugar que nos resulte vergonzoso. Este dilema es fácil de resolver: sólo tenemos que planificar de antemano lo que haremos juntos. En vez de hacer una invitación general, podemos sugerir actividades específicas, como jugar al ping-pong o ir a esquiar juntos. De esta manera, nuestros amigos saben qué esperar y, si no les interesa, pueden rechazar nuestra invitación sin avergonzar a nadie. Tal vez ellos mismos ofrezcan una alternativa que todos podamos disfrutar. Por lo general, aceptarán la invitación.

NO TIENES QUE SEGUIR LA CORRIENTE

Algunas veces, formamos parte de grupos que no hemos escogido nosotros, sino que lo han determinado las circunstancias, sea en el trabajo, en algún grupo cívico o en una residencia estudiantil, y podemos sentir la presión del grupo a ser como los demás. Sin embargo, normalmente en estos casos, uno puede ser diferente al resto del grupo sin que alguien se lo tome a mal. De manera, que podemos desarrollar relaciones individuales dentro del grupo, aunque decidamos no participar de algunas actividades del grupo entero.

Hay situaciones que nos exponen a vivir en comunidad con gente no cristiana, como, por ejemplo, vivir en una residencia estudiantil. Antes de integrarte en un grupo, sobre todo si va a ser por mucho tiempo, debes decidir de antemano qué costumbres vas a mantener. Una vez lo hayas decidido, debes cumplir esos objetivos desde el principio. Si sueles dar gracias por tu comida, recuerda hacerlo la primera vez que comas. Si sacas un tiempo diario para estar a solas con Dios, inclúyelo en tu horario del primer día. Tú decides el ritmo. Si no estableces tu patrón desde que llegas, cada día se te hará más difícil comenzar.

Tal vez te encuentras en un grupo en que se ha desarrollado un buen sentido de amistad e incluso has podido hablar de Jesús en algunas ocasiones. Pero, de pronto, alguien saca un porro, o pone una película pornográfica o intenta ligar contigo. Tal vez sientas tanta presión, que las resoluciones que habías hecho te parezcan inadecuadas. Estos son tus amigos, con quienes estás todo el tiempo. ¿Qué dirán si, de pronto, te pones quisquilloso?

En este caso, la sustitución no funciona. Francamente, sólo puedes hacer una cosa. ¡Muévete! Sal de ese lugar lo antes posible. Pero hazlo cortésmente. Puedes decir: "Prefiero pasar de esto, pero nos vemos más tarde." No es necesario que les juzgues ni hagas un comentario crítico que rompa tu relación con tus amigos. Lo que debes dejar muy claro es tu propia actitud ante eso. Recuerda a Daniel.

Él le hizo una declaración clara al jefe de los eunucos para que no le obligara a contaminarse (Daniel 1:8). En cualquier grupo, los hijos de Dios deben ser categóricos en afirmar quiénes son, tanto de palabra como con los hechos. Recuerda también que Dios bendijo a Daniel y a sus tres amigos para que fueran "diez veces mejores que todos los magos y astrólogos" (Daniel 1:20).

Casi siempre, tienes la oportunidad de decidir de antemano si vas a participar en alguna actividad del grupo. Si sabes que le serás infiel al Señor yendo con ellos, puedes excusarte amablemente. No hay que dar muchos rodeos. Puedes decir que esos planes no van contigo, pero que te avisen si acaban haciendo otra cosa. O quizás te sientas más cómodo diciendo: "Seguid vosotros, creo que hoy me quedo en casa viendo la tele." A pesar de que la mayoría de las personas hoy día van flotando siguiendo la corriente, muchos respetan a los que luchan contra ella. Incluso, en una conversación privada, puede que confiesen su admiración; algunos quisieran tener ese valor para ser fieles a sus convicciones. Siempre se destacan los que actúan según sus valores y no conforme a su entorno. También nos respetarán si, a pesar de mantenernos firmes, no buscamos legislar arbitrariamente la conducta de los demás.

Hay veces en que las opciones para actuar son limitadas. Por ejemplo, los estudiantes cristianos que viven en residencias estudiantiles con otras personas no siempre tienen la alternativa de decidir lo que sucede en su 'hogar'. Si es posible, debes intentar llegar a un acuerdo sobre ciertas normas básicas en la habitación. Lo mejor es tener una conversación abierta y calmada sobre las diferencias entre ambos y las preferencias de cada uno. Recuerda que todas las negociaciones fluyen mejor si ambas partes están tranquilas.

Puede que haya cosas que no te gusten, pero que puedas tolerar: que tu compañero de habitación tenga revistas pornográficas, por ejemplo. Por otro lado, si trae a alguien a pasar la noche, tienes derecho a quejarte al respecto. Esto puede ser difícil si tu universidad tiene políticas muy liberales, pero puede ser que tu compañero esté dispuesto a escucharte.

En una convivencia tan cercana, puedes experimentar la tensión entre ser humilde y no dejar que te pisoteen. Jesucristo nunca nos pide que abandonemos nuestra valentía moral. Recuerda el ejemplo de Daniel. ¡Somos los hijos redimidos de Dios!

VOCABULARIO EXCLUYENTE

Hemos hablado sobre el vocabulario de las personas a quienes queremos acercarnos, pero además debemos examinar nuestras propias palabras y los muros que podemos construir con ellas. Cada grupo tiene su lista de palabras internas que sólo entienden sus miembros. ¡Los cristianos tenemos miles! Hablamos de *la Palabra* cuando nos referimos a la Biblia, y todos los cristianos nos entienden cuando lo hacemos. Nos sabemos Romanos 8:28 de memoria y significa muchísimo para todos nosotros. Usamos libremente palabras como *salvación, reconciliación* y *justificación*. Hablamos de "aceptar a Jesús como nuestro salvador personal" y esperamos que todos entiendan cómo y por qué se debe hacer esto. ¡A veces, incluso hablamos el lenguaje de la Reina-Valera! Eugene Nida, un famoso lingüista, le llama a esta jerga evangélica el *Latín Protestante*. Es como hablarle de *sistemas operativos, módems, procesadores y sistemas antivirus* a alguien que nunca ha tenido un ordenador. Es un idioma extraño y quien no lo entienda queda excluido de la conversación.

Recuerda esa sensación de exclusión cuando hables de Dios, de Jesucristo y de la Biblia. Vigílate a ti mismo y desarrolla una mente sensible a los oídos de un principiante. Exprésate de la forma más sencilla y clara, no enredes tus palabras y detente a observar si la otra persona está entendiendo. Nuestro vocabulario interno puede crear su propia barrera social.

EXPRESA EL AMOR

Al discutir todas estas barreras sociales, no estamos intentando desarrollar técnicas para atrapar a las personas con el evangelio. Buscamos la manera de expresar con sinceridad el amor de Jesucristo.

Él ha entrado a nuestras vidas y nos ha dado la capacidad de salir de nosotros mismos y amar a los demás. Queremos compartir ese amor que él ha derramado sobre nosotros. Amamos a cada persona como individuo, no como una abstracción. Si Jesús es una realidad personal en nosotros, su amor a través nuestro puede alcanzar a personas a las que todo el mundo ha ignorado. Nuestra capacidad de amar viene de Él.

La mejor expresión de nuestro amor por otra persona es lograr comunicarles el amor que Jesús tiene por ellos. Eso sí, la amistad nunca debe depender de cómo responda esa persona a nuestro mensaje. Tristemente, hoy mucha gente mira con sospecha a los cristianos, porque hay muchos farsantes que dicen ser seguidores de Jesús, pero dan un ejemplo pésimo de lo que implica ser cristiano. Otros han tenido la mala experiencia de conocer a alguna persona religiosa y amable que resultó tener un motivo oculto y que abandonó la amistad cuando su "amigo" no quiso creer en su mensaje. Estas personas puede que no nos permitan hablarles de Jesús hasta que estén seguros de que seguiremos siendo amigos aunque ellos rechacen a Jesucristo. Debemos amar a las personas incondicionalmente.

Ninguno de nosotros puede jugar a ser Dios. No podemos determinar el nivel de respuesta que otra persona dará al Espíritu Santo. Puede ser que pasen años de indecisión antes de que algunos abran sus corazones. Por amor a Jesucristo, debemos seguir amándoles. Quien convierte a la persona es el Espíritu Santo, no nosotros. Nosotros somos los embajadores privilegiados de Jesucristo, somos quienes damos el mensaje verbal. También podemos demostrar la gracia de Jesucristo mediante nuestra personalidad. No debemos andar contando cuántas vidas "hemos salvado" y robarle el crédito al Espíritu Santo. Esta arrogancia espiritual va en contra del carácter que debe tener un seguidor de Jesús.

Nuestra expectativa como embajadores debe ser la posibilidad de cosechar, de ser el último eslabón de una larga cadena y lograr ver que una persona reciba a Jesucristo como su Señor y Salvador. Si esto sucede, no significa que hemos convertido a un alma y la hemos traído a Jesús.

Si alguien afirma: "¡He convertido a dos personas!", entiendo lo que quiere decir, pero está equivocado. Nadie puede llamar a Jesús "Señor", sino por el Espíritu Santo.

Nosotros tenemos el incomparable privilegio de ser embajadores de Jesucristo. Él nos ha escogido como sus únicos representantes ante un mundo perdido que anhela una realidad eterna.

PREGUNTAS PARA EL ESTUDIO INDIVIDUAL O EN GRUPO

1   Paul Little dice que no debemos esperar que los no cristianos-
que no tienen la dirección y la fortaleza del Espíritu Santo- adopten
la conducta cristiana. ¿Hasta qué punto estás de acuerdo con
esto? ¿Qué debemos esperar de ellos?

2   Crear controversias sobre las actuaciones de la gente es utilizar
la verdad de Dios de manera incorrecta. Por el contrario, ¿qué
deben decir nuestros comentarios y actitudes en cuanto a Cristo
y sus afirmaciones?

3   Este capítulo sugiere que la meta del embajador es acercarse lo
suficiente para obtener audiencia y transmitir el mensaje de reconciliación a través de Jesucristo. Al examinar tus propias actitudes y actuaciones, ¿están las mismas creando distancia con los
demás? ¿De qué manera?

4   Aparte de las que menciona el autor, ¿hay alguna otra barrera
social que entorpece tu comunicación con personas no cristianas?

5   En ocasiones, los cristianos se equivocan al establecer un patrón
específico de conducta como un estándar de la vida cristiana. Al
leer este capítulo, ¿pudiste identificar algunas de tus reglas personales que consideras como si fueran los Diez Mandamientos? Si
eres miembro de una comunidad cristiana que ha "extendido" los
Diez Mandamientos, ¿cómo podrías manejar esa situación?

6   Paul Little tiene, como parte de su filosofía, lo siguiente: "No condenes a la otra persona ni comprometas tus propias convicciones." Sugiere, entonces, la sustitución, los chistes, acordar de
antemano una actividad, establecer estándares propios y abandonar un grupo como formas de no comprometer. ¿Cuáles te han
funcionado? ¿Qué añadirías a esta lista?

7 A muchos cristianos se les hace difícil ser asertivos. Quizás es por esto por lo que enfatizamos este aspecto cuando se nos pide que hagamos algo que creemos incorrecto. Piensa en lo que podrías decir la próxima vez que te pidan que actúes en contra de tu conciencia.

8 Para que puedas armarte de chistes buenos y sanos, debes planificarlos de antemano. Enumera (o investiga) cinco o seis chistes, anécdotas o situaciones que te hagan gracia. Ve practicando, hasta que puedas explicarlos con soltura.

9 Con toda probabilidad, puedes hacer una lista de aquellas actividades en las que te incomoda participar. ¿Tienes una lista de aquellas actividades con las que disfrutas? Si no la tienes, haz una ahora.

10 En ocasiones, sí que comprometemos nuestras convicciones. En esos momentos nos es fácil culpar a cualquier influencia no cristiana que tengamos, condenándola así dos veces. ¿Cuál podría ser una reacción alterna?

11 ¿Hablas *Latín Protestante* en presencia de cristianos nuevos o de no cristianos que no puedan entender? ¿Cuál es la posible motivación para usar tal lenguaje? ¿Cómo puedes evitar excluir a otros?

SUGERENCIAS PARA UN LÍDER DE GRUPO

1 Permite que los participantes compartan cómo pusieron en práctica el estudio de la semana anterior. Podéis discutir por qué lo lograron o por qué fracasaron.

2 Ven equipado con seis o siete chistes o anécdotas, quizás de alguna revista que conozcas, para servir de introducción a la Pregunta 8.

05   ¿CUÁL ES NUESTRO MENSAJE?

Los embajadores comunican un mensaje. Muchos cristianos son embajadores ineficaces, porque no conocen bien el contenido de su mensaje y no logran comunicarlo claramente a los demás.

Para muchas personas, entender el evangelio es como comprender un problema matemático. Escuchan mientras el profesor explica el problema en clase y lo entienden perfectamente. Pero, cuando intentan plantearlo al amigo que no fue a clase, no logran hacerlo de una manera clara que otros puedan entender. Muchos han creído y entendido el evangelio por sí mismos, pero son incapaces de articularlo claramente a los demás para que también ellos puedan conocer y experimentar al mismo Señor.

NO ENTIERRES LAS VERDADES

Otras personas creen que, para explicar el evangelio, hace falta incluir muchísimos datos que pueden ser correctos, pero que no son fundamentales para el evangelio. Las verdades más importantes quedan enterradas bajo el peso de esos datos útiles aunque irrelevantes y, como consecuencia, confundimos al que nos está escuchando. Nada debe distraernos del mensaje central, ni siquiera la pregunta crucial de si la Biblia es la Palabra de Dios. Si intentamos responder a esa pregunta, puede que nunca lleguemos a la más importante: ¿Quién es Jesús? Si surgiera la pregunta, normalmente basta con demostrar que la Biblia es un documento histórico fiable y, sobre esta base, confrontar a la persona con las afirmaciones de Cristo. Tras confiar en el Salvador, resulta lógico adoptar la postura que tomó Jesucristo hacia la Biblia: que es la palabra inspirada por Dios.

Para empezar, cuando comunicamos el evangelio, es esencial que nos demos cuenta de que el cristianismo no es una filosofía ni un estilo de vida, sino una persona viva: Jesucristo. Si los no creyentes no captan que el asunto principal es su relación personal con esta persona, hemos fracasado. Hay prácticamente una epidemia de confusión acerca del verdadero significado del cristianismo sin trabas ni añadiduras.

De hecho, una vez escuché que un estudiante creyente, que iba conduciendo con un no creyente por la autovía de Pensilvania, dijo que había un letrero que decía "Jesús salva vidas". Su compañero comentó francamente: "Nunca había pensado en eso antes. Si Jesús hace eso, ¡yo también debería meterme a socorrista!".

No se trata de decirle a la gente a qué iglesia deben pertenecer, ni qué diversiones deben evitar. A continuación, veremos algunas ideas equivocadas acerca del cristianismo y una breve explicación para desacreditar cada una.

El cristianismo no es…

- **Ser un gentil.**
  Hay muchos gentiles que se enfurecerían si los llamaras cristianos, y hay muchos judíos y adeptos de otras religiones que se han convertido al cristianismo.

- **Una herencia.**
  Uno no puede nacer cristiano, de la misma forma que no se nace estando casado. Bien lo han dicho algunos: ¡Dios no tiene nietos!

- **Ir a la iglesia.**
  Un viejo refrán dice: "Ir a la iglesia no te hace un cristiano, igual que ir a un garaje no te convierte en automóvil." Los cristianos van a la iglesia y se congregan con el pueblo de Dios, pero no es así como se convirtieron en cristianos.

- **Participar en un rito particular.**

  Nuevamente, esto es algo propio de los verdaderos cristianos, pero no es lo que les hace ser cristianos.

- **Seguir las enseñanzas de Jesucristo.**

  Por supuesto que los que han sido transformados por Cristo van a seguir sus enseñanzas y procuran reflejar la imagen moral del Señor en sus vidas. Si dicen ser cristianos y viven como vive el diablo, el Nuevo Testamento afirma que no son cristianos y que la vida no está en ellos. Sin embargo, no pueden entrar en la presencia de Dios basándose en su conducta, a no ser que logren equiparar la perfección de Jesucristo. ¡Claro que nadie puede hacer eso!

- **Obedecer una serie de restricciones.**

  La vida cristiana es muy dinámica y positiva. Los cristianos se abstienen de ciertas cosas, pero es más bien algo positivo y edificante, aunque a otros les parezca negativo. La vida cristiana expande, no restringe.

- **Creer ciertos datos acerca de Jesucristo.**

  Ya hemos visto que el mero asentimiento intelectual no produce la vida cristiana.

¿QUÉ ES EL CRISTIANISMO?

El evangelio es, pues, Jesucristo mismo: lo que Él es, lo que ha hecho y cómo se le puede conocer en una experiencia personal. Y puesto que el evangelio se trata de una persona, no hay una sola forma rígida y rutinaria de presentarlo. Si estamos describiendo a una persona, y no una fórmula, lo natural es comenzar por el aspecto que nos parezca más relevante en el momento, ya sea el aspecto de dicha persona, su carácter o su personalidad.

Si tienes un hermano rubio que estudia química en la Universidad de Harvard y te encuentras con alguien que también estudia allí, no comenzarías la conversación diciendo: "Tengo un hermano que es rubio; estudia química y está en la Universidad de Harvard." No. Comenzarías con: "Oye, tengo un hermano que está en Harvard" y luego pasarías a otros datos si son relevantes. Seguro, además, que si conoces a alguien que parece un gemelo de tu hermano, no empezarías diciendo que tienes un hermano que estudia química. Probablemente dirías: "Eres idéntico a mi hermano" y luego comentarías otros aspectos.

De igual forma, cuando hablamos acerca del Señor Jesucristo, podemos pensar que su resurrección captará la atención de la persona, especialmente ésta cuestiona la divinidad de Cristo. Con otra persona, el tema podría ser la muerte de Jesús o su diagnóstico de la naturaleza humana, o sus alegaciones sobre su propia identidad. Al final, queremos cubrir toda la información acerca del Señor Jesús para que la persona tenga una idea completa de quién es Él y qué ofrece.

Nuestra meta es estar versados en todos los datos básicos del evangelio que deba saber una persona para poder convertirse a Cristo. Y, por supuesto, debemos conocer en qué parte del Nuevo Testamento se fundamentan estos hechos.

HECHOS BÁSICOS

¿Cuáles son estos hechos? A continuación, haré un breve bosquejo, que no es exhaustivo, pero al menos nos puede servir de guía y ofrecernos una base para presentar el evangelio. Siempre que sea posible, el bosquejo usa las palabras de nuestro Señor y las referencias más claras que respalden los hechos.

1. ¿Quién es Jesucristo?

Es plenamente Dios. Varias citas del Nuevo Testamento documentan esto, pero algunas de las más explícitas son Juan 5:18, Juan 10:10-30 y Juan 14:9. Cuando hablamos de las afirmaciones de Cristo, es útil usar las palabras que Él mismo dijo, porque algunas personas sólo aceptarán las declaraciones que haya hecho Jesús mismo, y no las de sus discípulos. Usa las frases que lo expresen más claramente. Los textos que aprendiste en la escuela bíblica que contienen profecías o alegaciones de divinidad probablemente no sean tan fáciles de entender para un no creyente. Por ejemplo, empezar con Génesis

3:15, que habla de la simiente de la mujer hiriendo el talón de Satanás para referirse a Jesús, probablemente confunda a quien carezca de experiencia bíblica.

Para explicarle a alguien que Jesús es plenamente Dios, debemos estar atentos para percibir cuál es el concepto que la persona tiene acerca de Dios. Para algunos, Dios es un abuelito bonachón que no le hace daño a nadie y, para otros, es como un sumo sacerdote con una vara, dispuesto a castigar. Cuando decimos que Jesús es Dios, estamos afirmando que es totalmente confiable. Él es verdad. Es santo. Es el creador y señor del universo y, sin embargo, le importamos. Tiene un amor puro y verdadero por cada uno de nosotros, su creación.

A la vez, hay que enfatizar que Jesús es plenamente humano (Juan 4:6, 11:35). Cuando Jesús estuvo aquí en la tierra, fue el ejemplo máximo de un hombre que sabía por qué había venido. Hizo lo que sabía que era correcto, obedeció a su Padre celestial y dijo sólo las palabras que el Padre le había comunicado. Se humilló a sí mismo y fue sabio y virtuoso. Fue tentado como todo hombre es tentado, pero se mantuvo totalmente sin pecado. Al final de su vida, sufrió una muerte horrorosa e inmerecida por amor a los demás. ¡Esto es verdaderamente un hombre!

2. Su diagnóstico sobre la naturaleza humana

Después de considerar a Jesucristo, plenamente Dios y plenamente hombre, pasamos a destacar la visión que Jesús tenía de nosotros, su creación. ¿Cómo nos ve? La respuesta más clara se encuentra en Marcos 7:1-23, cuando Jesús dice que todos nosotros tenemos una enfermedad fundamental, el pecado, que nos contamina y nos separa del Dios santo que nos ama. Este pecado tiene una variedad de síntomas y sale "de dentro, del corazón de los hombres", como dice Jesús en este pasaje. Se genera en el interior, no en el exterior; no podemos echarle la culpa a nadie por ello.

Es útil definir el pecado en términos de experiencia y no meramente como una proposición categórica. Decirle a alguien solamente que "todos pecaron", por lo general no expresa bien la idea bíblica. En nuestra sociedad, el pecado es algo indefinido y nebuloso que ha perdido todo significado. ¡Algunas personas me han dicho que se trata de un perfume de una marca famosa!

Otros lo definen como un tipo específico de inmoralidad. Si no son culpables de esa categoría de inmoralidad, inmediatamente se ofenden, porque nos se ven a sí mismos como pecadores en ese sentido.

Sin embargo, si describimos el pecado en términos de experiencia, la mayoría de las personas estarán de acuerdo en que la definición les incluye. Podemos comenzar con algo fácil de comprobar, como el hecho de que no tenemos que enseñarles a los niños a pecar; surge naturalmente cuando aún somos muy pequeños. ¿Quién de nosotros no ha mentido o hecho alguna trampa? ¿Quién no ha sido cruel, celoso, codicioso o egoísta? ¡Y eso es sólo el principio de la lista!

Toda relación de actos manifiestos proviene de la enfermedad interna del corazón que describía Jesús. Los síntomas varían mucho de persona a persona. Su raíz es la enfermedad primordial de la rebelión en contra de Dios, de vivir a nuestra manera y no a la suya. Es decirle al Creador: "Yo sé más que tú sobre cómo llevar mi vida". Esta raíz de rebelión no se halla solamente en el delincuente del barrio: todos la tenemos. La enfermedad y sus consecuencias son universales. Estamos separados de Dios, como una hoja sin su tallo. Más aún, esta separación es la que genera en nosotros el aburrimiento, la soledad, la debilidad moral, el sinsentido y la falta de propósito.

3. *El hecho y el significado de su crucifixión*

Sin la muerte expiatoria de Cristo, nuestra historia no tendría esperanza. Seguiríamos separados de Dios, centrados exclusivamente en nosotros mismos.

Cada uno de los cuatro evangelios narra la secuencia de eventos que dieron paso a la crucifixión de Jesús. En Mateo 26:28, Jesús mismo nos da la razón de su muerte en una breve frase. Dijo que su sangre era derramada por muchos, "para perdón de los pecados". En Mateo 20:28, explica que vino "para dar su vida en rescate por todos". El Diccionario Espasa-Calpe de la Lengua Española define rescate como "Recuperación mediante pago o por la fuerza de algo que estaba en poder ajeno".

Pedro fue uno de los discípulos más cercanos al Señor y, por ende, lo conocía muy bien. Él dijo, sin rodeos: "Cristo padeció una sola vez por los pecados, el justo [Jesús] por los injustos [la raza humana], para llevarnos a Dios" (1 Pedro 3:18). Jesucristo pagó la pena de muerte que nos correspondía a nosotros por haber violado la ley moral de Dios. Él tomó nuestro lugar para recibir nuestro castigo y ahora nos ofrece libremente el perdón. Su fin es restaurar nuestra relación con Dios, la que Él mismo diseñó para nosotros en la creación.

4. El hecho y el significado de su resurrección

La narración dramática de la resurrección de Jesús de entre lo muertos también aparece en cada uno de los cuatro evangelios. El más detallado se encuentra en Lucas 24:36-45. Después de la muerte de Jesús, los discípulos regresaron al Mar de Galilea para pescar. De repente, "Jesús se puso en medio de ellos y les dijo: '¡Paz a vosotros!' " (v. 36). Ya puedes imaginar que tuvieron miedo y que pensaban que habían visto un fantasma. Pero Jesús les dijo: "Palpad y ved, porque un espíritu no tiene carne ni huesos" (v. 39).

¡Jesucristo resucitó de los muertos! Resucitó su cuerpo, no sólo su espíritu. Este único hecho indiscutible es la validación suprema de su divinidad. Además, se registraron diez apariciones distintas en las que Jesús se mostró a sí mismo con muchas pruebas indiscutibles. Estas apariciones del Cristo resucitado revolucionaron la vida de los primeros cristianos. Estaban derrotados y atemorizados el día de la crucifixión, pero, después del domingo de la resurrección, pusieron en marcha el poderoso movimiento cristiano. Para nosotros, la implicación de la resurrección es que el Señor Jesucristo está aquí ahora, es una persona real. Está vivo y tiene el poder de invadir la vida de todo aquel que le invite a entrar.

Y este poder de resurrección, único y sin precedentes, sigue disponible hoy día y es precisamente lo que distingue al cristianismo.

5. Ser cristiano

Hemos enumerado algunos datos acerca de Jesucristo: su divinidad, su muerte, su resurrección y nuestra separación de él. Pero estos son algo más que meros datos teológicos. Nos describen a cada uno de nosotros y exigen una respuesta que va más allá de asentir con la cabeza. Esa respuesta implica un cambio en nuestra visión del pecado y una determinación de volvernos a Dios. Nuestra mente debe entender la santidad de Dios y nuestro propio fracaso e incapacidad de alcanzar el nivel divino de perfección. Pablo, en su defensa ante Agripa, dijo que él predicaba para que los judíos y los gentiles "se arrepintieran y se convirtieran a Dios" (Hechos 26:20).

Esa conversión a Dios también afecta a las emociones. La fe en Jesús suele ir precedida por una profunda tristeza por el pecado cometido, más que un arrepentimiento superficial. En 2 Corintios 7:10, Pablo explica que "la tristeza que es según Dios produce arrepentimiento para salvación". Si bien las emociones no son el indicio del verdadero arrepentimiento, ciertamente hay sentimientos que lo acompañan.

La última prueba del arrepentimiento verdadero implica la voluntad. El hijo pródigo no sólo recapacitó intelectualmente, sino que actuó: "'Me levantaré e iré a mi padre...' entonces se levantó y fue" (Lucas 15:18, 20).

Al llegar a este punto, la persona debe dar el primer paso de ir a Jesucristo personalmente y confiar en Él. Pero no siempre es fácil explicar esta experiencia claramente. Usamos términos abstractos e imprecisos como creer y tener fe, que no describen concretamente lo que implica convertirse.

Me parece que la descripción más clara de lo que es la conversión se encuentra en Juan 1:12: "a todos los que lo recibieron, a quienes creen en su nombre, les dio potestad de ser hechos hijos de Dios."

Hay tres verbos clave en este versículo: creen, recibieron y ser hechos. Hay quien dice que para ser cristiano hay que creer algo y recibir a alguien. Me parece que eso resume bien este texto.

Es interesante notar que en el Nuevo Testamento aparece el matrimonio como ilustración para explicar la conversión. Uno puede creer en un hombre o en una mujer, pero, por más intensamente que lo haga, esa creencia por sí sola no crea un matrimonio. Incluso se puede estar involucrado emocionalmente y, aun así, no estar casado.

Un soltero puede decir: "Claro que creo en el matrimonio. Estoy convencidísimo de que existe. ¡Si vieras todos los libros que he leído! Soy un experto en el tema. Además, he ido a un montón de bodas. Sin embargo, es curioso, pero, en cierto sentido, no logro entenderlo: el matrimonio no es algo real para mí." Lo que este chico no ha descubierto es que, para casarse, un hombre primero cree en una mujer y luego debe recibirla en su vida. Además, para completar el matrimonio, tiene que usar su voluntad y comprometerse con la otra persona y establecer así una relación. Se requiere un compromiso total del intelecto, las emociones y la voluntad.

Puede que nos haga gracia la actitud del chico soltero, pero algunos somos iguales que él. El paralelo es evidente. Hay gente que sabe mucho acerca de Jesús, pero no conocen a Jesús mismo. Ser cristiano requiere un compromiso con el Dios vivo. Este compromiso depende de una relación de amor y obediencia. Debemos creer en Jesús, recibirlo personalmente en nuestra vida y luego ser hechos hijos de Dios.

Esta analogía ilustra que una persona no es cristiana meramente por un asentimiento mental a unos hechos, de la misma forma que alguien no está casado por el mero reconocimiento intelectual. Muchas personas sienten descontento con el cristianismo, porque son como el soltero que se acercó al matrimonio, pero nunca se sumergió en él. Puede que hayan leído muchos libros acerca del cristianismo, incluso haber seguido un curso sobre religión, pero nunca han efectuado un compromiso. Es evidente que el matrimonio no es una mera filosofía que se estudia en contraposición a la filosofía de la soltería. De igual forma, el cristianismo no es una mera filosofía que se contrasta con el existencialismo, el agnosticismo o el positivismo lógico. Más bien, es una relación dinámica con una persona viviente, el Señor Jesucristo. Casarse implica abandonar nuestra independencia y vivir en una relación comunicativa con nuestra pareja; recibir a Cristo implica lo mismo. La esencia del pecado es vivir independientemente de Dios: a nuestra manera y no a la suya. De esa manera viven los que no son cristianos.

La esencia del arrepentimiento es repudiar nuestras vidas egocéntricas y darle a Cristo y su voluntad el lugar central en nuestras vidas. Cuando nos casamos, debemos pensar en la pareja cada vez que tomamos una decisión. Cuando recibimos a Cristo, entramos en una relación de comunicación con Él acerca de todas las áreas de nuestra vida. Siempre debemos tener presente qué piensa y qué quiere para mí. La belleza de todo radica en que a Dios le importa lo que hacemos con nuestra vida.

¿Cómo, pues, se recibe a Jesucristo? En Apocalipsis 3:20, Jesucristo compara nuestras vidas con una casa y dice: "Yo estoy a la puerta y llamo; si alguno oye mi voz y abre la puerta, entraré a él y cenaré con él y él conmigo." Usando este versículo, le pregunto a los estudiantes que muestran interés: "Imagínate que alguien llama a la puerta de tu piso. ¿Cómo haces que la persona entre?" Los estudiantes lo piensan un momento y dicen: "Pues, abro la puerta." "Exacto," les digo, "y luego, ¿qué harías?" Invariablemente, me responden: "Le invitaría a entrar." Casi siempre, en ese momento se iluminan sus caras y se dan cuenta de que es así precisamente como uno se convierte en un cristiano. El Señor Jesús está llamando a la puerta de nuestra vida. Él no piensa forzar la entrada, sino que entrará sólo cuando le invitemos. Esta invitación se la podemos hacer de manera sencilla, en una oración usando nuestras propias palabras. Y una vez lo hemos recibido, Él promete entrar y estar con nosotros toda la eternidad.

ALGUNOS MODELOS BÁSICOS

Estos cinco hechos básicos del evangelio son las verdades fundamentales que debemos dominar para poder exponerlos con facilidad cuando sea necesario. Rara vez tendremos la oportunidad de explicarlos todos detalladamente, pero debemos tenerlos como una guía general. Además de estos, es útil tener un modelo del evangelio que sea fácil de entender y que podamos presentar a las personas brevemente. Voy a nombrar algunos que he usado.

1. Modelo de tres frases.

- El problema de la humanidad (según Jesús): Estamos separados de nuestro Hacedor (Isaías 53:6, Romanos 3:11-12).

- El diagnóstico de Jesús: Nuestra enfermedad, el pecado, es la causa de esta separación (Marcos 7:15).

- La solución de Jesús: Restaurar esta relación mediante su muerte (Romanos 5:8, 1 Pedro 2:24).

2. Cuatro pasos hacia Dios.

- Dios- Dos hechos: es santo, es el creador amoroso (1 Juan 1:5; Salmo 100:3).

- La humanidad- Dos tragedias: nos hemos rebelado, hemos quebrantado la ley de Dios (Santiago 2:10, Salmo 14:2-3).

- Jesucristo- Mediante su muerte, ha reconciliado a la humanidad con su Creador (Romanos 5:6-8).

- Respuesta requerida: arrepentirse, creer, recibir (Hechos 17:30, Juan 1:12).

3. Jesús define al cristianismo.

- "Yo soy el pan de vida" (Juan 6:35).

- "Yo soy el camino, la verdad y la vida" (Juan 14:6).

- "Yo soy la luz del mundo" (Juan 8:12).

- "Venid a mí" (Mateo 11:28).

4. *Religión* versus *cristianismo*.

- Algunos creen que el cristianismo es algo que puedes hacer: que lo importante es que las buenas obras sean más que las malas obras. Piensan: "Si Dios calcula un promedio, lograré entrar" (Tito 3:5).

- La Biblia dice: "Porque por gracia sois salvos por medio de la fe; y esto no de vosotros, pues es don de Dios. No por obras, para que nadie se gloríe" (Efesios 2:8-9).

- El cristianismo es algo que ya está *hecho*: Sólo Jesús nos puede capacitar para entrar en el cielo. Él perdona nuestro pecado y nos ofrece su justicia (Romanos 5:8).

- La Biblia dice: "Concluimos, pues, que el hombre es justificado por la fe sin las obras de la ley" (Romanos 3:28); "Justificados, pues, por la fe, tenemos paz para con Dios por medio de nuestro Señor Jesucristo" (Romanos 5:1).

5. *El camino de Romanos.*

- "Todos pecaron" (Romanos 3:23).

- "La dádiva de Dios es vida eterna" (Romanos 6:23).

- "Cree en tu corazón… confiesa con tu boca" (Romanos 10:9-10).

Puede que tengas otros resúmenes concisos del mensaje básico del evangelio para usar como base para una conversación. Pero, independientemente del método que utilices, recuerda que vivimos en una sociedad de analfabetismo bíblico. Evita usar lenguaje interno. Si presumimos que quien nos escucha tiene conocimiento bíblico, nos llevaremos una desagradable sorpresa. Es importante definir claramente lo términos que significan mucho para nosotros pero muy poco para los no creyentes. Debemos explicar, por ejemplo, palabras como *cristiano, salvador, vida eterna, pecado, nacer de nuevo, regeneración, salvación, salvo, expiación, santificación, justificación.* ¿Qué es lo que queremos decir con estas palabras? La mejor manera de saberlo es sentarse y escribir una definición que no incluya la palabra misma.

TRES PASOS

Quisiera recomendar unos pasos prácticos para mejorar nuestro conocimiento y entendimiento del mensaje en sí.

1   Escribe el evangelio en forma de carta. Dirige la carta a un amigo hipotético que no se opone al evangelio, pero tampoco lo conoce. Explícale lo que necesita saber una persona que quiera ser cristiana. Pídele a alguien que lea la carta y la evalúe. Luego, quizás se te ocurra a quién la puedes enviar.

2   Con un amigo cristiano, dramatiza cómo compartirías el mensaje de Cristo. Intenta la dramatización dos veces: la primera vez, tu amigo debe fingir tener poco interés en temas espirituales; la segunda, haz que tu amigo te haga preguntas acerca de las creencias de los cristianos.

3   Cuéntale tu proyecto a un amigo no cristiano. Pregúntale a tu amigo si tiene tiempo para escucharte mientas explicas lo que cree un cristiano. Explícale que quieres aprender cómo comunicarlo de manera que se entienda y pídele que te ayude en eso. La única prueba de que nos estamos comunicando claramente es que la otra persona repita lo que le hemos dicho y demuestre que lo ha entendido.

SEGUIMIENTO

¿Qué opinión tendrías de una madre que ha dado a luz a muchos hijos, pero ha abandonado a cada uno al nacer? Lo mismo podríamos pensar de la gente que trae a otros al reino de Dios y luego los abandona a su propia suerte. Cuidar de los nuevos cristianos es tan importante como ayudarles a ser hechos hijos de Dios. Cuando un nuevo creyente decide confiar en Jesús, es necesario fortalecer su decisión con una mayor comprensión de todas sus implicaciones. No todos los nuevos cristianos tienen las mismas necesidades, pero a continuación hay algunas pautas.

1. Muéstrales el panorama más amplio.

Los nuevos cristianos necesitan ayuda para entender el gran panorama del evangelio. Es decir, necesitan saber que Dios está llamando a todas las personas a salir del reino de las tinieblas al reino de la luz. Su experiencia particular es parte de una obra mayor de Dios en todo el mundo. Ellos han oído el llamado de Dios al igual que muchas otras personas. También precisarán ayuda para poder articular lo que les ha sucedido.

2. Dirígelos hacia el alimento espiritual.

Necesitan aprender rápidamente cómo alimentarse en su nueva vida espiritual. "Desead, como niños recién nacidos, la leche espiritual no adulterada" (1 Pedro 2:2). Dales algunos consejos breves y específicos acerca de cómo leer la Biblia. No les digas solamente: "Ve y lee la Biblia". ¿Qué harán? Naturalmente, como con cualquier otro libro, empezarán por el principio. ¿Y cuántas personas conoces que han empezado a leer la Biblia en Génesis y se han rendido cuando van por la mitad de Levítico?

Puedes presentar la organización general de la Biblia (son 66 libros separados, enumerados en la tabla de contenidos al principio; los capítulos se indican con un número grande y los versículos, con un número pequeño). Explícales que la Biblia ha sido traducida por diferentes personas a través de los siglos. Cada traducción tiene una terminología distinta, pero el mensaje esencial es el mismo en todas las versiones. Ofrécete para ayudarles a escoger una versión que les sea adecuada.

Recomiéndales que lean el evangelio de Marcos. Observa mientras lo buscan ellos mismos y asegúrate de que puedan localizar versículos específicos; esa destreza les ayudará más adelante.

Quizás puedes darles unas cuantas preguntas para que respondan a medida que vayan leyendo el libro. Pueden preguntarse: "¿Qué aprendo del Señor Jesús en este pasaje?" y luego: "¿Hay algún mandamiento a seguir en este pasaje? ¿Cómo puedo cumplirlo?" Podrías plantearles muchas otras preguntas, pero *dales sólo dos*. Si les propones una tarea sencilla y específica, pueden lograrlo fácilmente y experimentar el gozo de discernir la voz de Dios hablándoles directamente.

Otra posibilidad es sugerirles una breve guía de estudio bíblico. El folleto *Quiet Times for Christian Growth*, de Kelly James Clark, contiene cuarenta estudios bíblicos devocionales dirigidos a nuevos cristianos y habla de la oración, la comunión, el servicio, la evangelización y la dirección (InterVarsity Press).

Si puedes, debes quedar con estas personas regularmente, llamarles por teléfono o escribirles. Si no vives cerca de ellas, busca una iglesia local que esté dispuesta a ayudar a estos nuevos cristianos en sus primeros pasos de vida cristiana.

3. Ofréceles la seguridad de la salvación, basándote en las promesas de Dios en la Biblia.

Los nuevos cristianos necesitan que se les afirme que son hijos de Dios. Además, deben saber que las emociones no son la base de esa seguridad. Nuestra confianza se fundamenta únicamente en "tener al Hijo", como lo señala 1 Juan 5:11-13. Seguramente, lucharán con hábitos pecaminosos, como nos pasa a todos. Explícales que deben ocurrir unos cambios en sus actitudes y en su conducta. Si no hay evidencia del Espíritu de Dios en su vida, no sigas asegurándole a la persona que forma parte de la familia de Dios. En este caso, explícales con paciencia y claridad lo que implica creer y recibir al Señor Jesucristo.

4. Ayúdales a entender cómo lidiar con el pecado en sus vidas.

Los nuevos cristianos pueden verse frustrados por el hecho de que el pecado sigue siendo una realidad en sus vidas. Explícales la diferencia entre comunión y relación basándote en 1 Juan 1:9. Si dos personas casadas discuten fuertemente y tienen ganas de separarse, la situación se puede considerar muy problemática, pero cuando se resuelve el conflicto, no tienen que volver a casarse. Su relación está segura.

Se estableció de una vez para siempre cuando se casaron. Tuvieron un problema con su relación y la única manera de restaurarla es mediante la confesión y el perdón.

Ocurre lo mismo en la vida cristiana. Debemos decirles a los nuevos cristianos cómo vencer el pecado en sus vidas. Muéstrales 1 Corintios 10:13 y cómo mirar a Cristo en cada momento de tentación.

5 Ayúdales a mantener relaciones saludables con no cristianos.
A veces, cuando alguien se convierte, echa a perder sus relaciones con los no creyentes más cercanos. He hablado con muchas personas que han sufrido gran dolor- especialmente, jóvenes, adolescentes y estudiantes- al volver a sus familias. Se sienten muy emocionados de ser cristianos, pero, si comparten su entusiasmo de la manera incorrecta, pueden crear barreras al evangelio que duran muchos años. Cuanto más íntima sea la relación, más delicada es.

Estos jóvenes, antes de decir nada, deben comenzar a limpiar sus habitaciones, ofrecer ayuda en la casa o no salir algunas noches en la semana. Y una vez los padres se recuperen del desmayo inicial y pregunten: "¿Qué rayos te ha pasado?", entonces pueden compartir su historia. "Sabes, papá, quizás hayas entendido estos temas toda la vida, pero ahora han cobrado sentido para mí." Y que luego pasen a contarles lo que Cristo significa ahora para ellos, sin sugerir que son paganos ignorantes.

Sin embargo, muchos jóvenes vuelven a casa y lo que comunican es algo parecido a: "¿Cómo es que no me habéis enseñado estas cosas? Ahora las comprendo y más vale que vayáis entendiendo vosotros también." Es cierto que estas personas quieren expresar sinceramente lo que les ha sucedido, pero el daño que pueden causar es incalculable. El mismo cuidado y paciencia se debe emplear con amigos no cristianos.

6. Ayúdales a encontrar una comunidad.
Es esencial que les presentemos a otros cristianos y a una iglesia local. El Señor Jesús sabía que íbamos a necesitar el calor y el apoyo de la

familia de Dios. De hecho, esa es una de las razones por la que estableció la iglesia. Explícales a los nuevos creyentes que es un lugar de crecimiento en el conocimiento del Señor y en el servicio cristiano. Estos dos factores deben ser determinantes a la hora de elegir una iglesia. Si sienten que no están creciendo espiritualmente y en su conocimiento de la Biblia, deben orar pidiendo dirección sobre su relación futura con una iglesia en particular. Asegúrales que Dios les guiará.

Cuidar a nuevos cristianos puede suponer tiempo y fuerzas, pero las recompensas eternas son de lo mejor. Pídele a Dios que te dé amor por estos nuevos creyentes y que te use para ayudarlos a desarrollar un compromiso duradero con Él.

PREGUNTAS PARA EL ESTUDIO INDIVIDUAL O EN GRUPO

1   Presentar correctamente el evangelio no significa necesariamente que la persona haya aceptado a Cristo como salvador. Más bien, es saber que has presentado clara y fielmente las afirmaciones de Jesús y lo que Él exige para que las personas se reconcilien con Dios si así lo deciden. Cuando has explicado el evangelio en el pasado, ¿lo has hecho correctamente? ¿Por qué sí o por qué no?

2   Al contestar las siguientes preguntas, explica los hechos fundamentales del evangelio que menciona Paul Little en las páginas 102-108.

- ¿Quién es Jesucristo?

- ¿Cuál es su diagnóstico de la naturaleza humana?

- ¿Cuál es el significado de su crucifixión?

- ¿Cuál es el significado de su resurrección?

- ¿Qué significa ser cristiano?

3   Si un no cristiano te dijera las siguientes afirmaciones, ¿qué ideas erróneas tendría esa persona acerca del cristianismo? ¿Cómo responderías a cada una?:

- "Francamente, no veo mucha diferencia entre la forma en que viven los cristianos y como viven los no cristianos".

- "Ya soy cristiano, porque me bautizaron cuando era niño".

- "Vengo de un hogar cristiano. ¡Nací cristiano!".

- "No quisiera ser cristiano. Los cristianos intentaron exterminar a mi pueblo, los judíos".

- "¡Voy a la misma iglesia que Billy Graham!".

4   Además de las ideas equivocadas que menciona Paul Little, ¿te has enfrentado a algunas otras que creen los no cristianos? ¿Cómo las has manejado?

5   El autor recomienda que comencemos nuestra presentación de Cristo y de sus afirmaciones con la información que más le interese a quien nos esté escuchando en ese momento. ¿Cómo lo harías si la persona mencionara las siguientes declaraciones?:

   • "Ya no hay remedio para mí; he echado a perder mi vida."

   • "Me gustaría encontrar la religión verdadera, pero en realidad todas son iguales."

   • "Creo que nunca me han amado de verdad."

   • "¿Sabes por qué hay tanto sufrimiento en el mundo? ¡Porque Dios nos quiere fastidiar!"

6   ¿Qué responderías a alguien que diga: "Me parece genial que Jesús quiera perdonar mis pecados, pero yo no tengo que arrepentirme de nada. Yo no soy peor que nadie"?

7   ¿Qué responsabilidad tiene el "padre espiritual" de un nuevo cristiano para ayudarlo a crecer en Cristo?

8   Compara la Biblia a cualquier otro libro: su formato, la cantidad de versiones, el propósito, cómo se lee, etc. ¿Cómo le explicarías este libro especial a los nuevos cristianos para que puedan usarlo sin sentirse abrumados por sus miles de páginas?

9   ¿En qué sentido necesitan ayuda los nuevos cristianos para relacionarse con sus familiares y amigos no cristianos? ¿Cómo los aconsejarías?

10 Ahora que te has preparado con la lectura de este capítulo, ¿te gustaría contactar con alguien para explicarle o aclararle el evangelio, o para ayudarle a continuar en la vida cristiana? Considera hacerlo esta semana.

SUGERENCIAS PARA UN LÍDER DE GRUPO

1   Permite que los participantes compartan cómo pusieron en práctica el estudio de la semana anterior. Podéis discutir por qué lo lograron o por qué fracasaron.

2   Divide el grupo en parejas. Usa las declaraciones de la pregunta número 5 como base para una dramatización de una persona explicando las afirmaciones de Cristo a su compañero. Con el grupo en pleno, pídeles a algunas personas que compartan las lecciones aprendidas y las dificultades que tuvieron al hacer el ejercicio.

3   Para introducir la pregunta número 8, haz dramatizaciones en las que una persona le explica cómo usar la Biblia a alguien que nunca ha visto una. (El que represente al "nuevo cristiano" debe reflejar una ignorancia realista del libro.)

06   ¿POR QUÉ CREEMOS?

En nuestra época, no es suficiente saber lo que creemos como cristianos; también debemos saber por qué lo creemos. Todos los cristianos hemos de saber defender nuestra fe. 1 Pedro 3:15 nos instruye claramente sobre esta responsabilidad: "… santificad a Dios el Señor en vuestros corazones, y estad siempre preparados para presentar defensa con mansedumbre y reverencia ante todo el que os demande razón de la esperanza que hay en vosotros".

Este mandamiento no es opcional y hay buenas razones prácticas para ello. Primeramente, debemos tener una respuesta lista por el bien de nuestra propia convicción de la verdad. Si no estamos plenamente convencidos en nuestra propia mente de que Jesucristo es la verdad, jamás podremos comunicar eficazmente el evangelio a otra persona. Es más, nuestra propia vida espiritual se irá debilitando. No debemos forzar nuestra voluntad a hacer algo de lo cual no estamos convencidos intelectualmente; el resultado es un colapso emocional. Nosotros mismos hemos de estar persuadidos de la verdad.

En segundo lugar, tenemos una responsabilidad de ayudar a los intelectuales no creyentes a manejar sus preguntas sinceras acerca del cristianismo. Si constantemente quedamos sin respuestas ante las preguntas de los no cristianos, estamos confirmando sus razones para no creer.

No estoy sugiriendo que dejemos de testificar de Jesucristo si no tenemos todas las respuestas. Siempre podemos acudir a nuestra propia experiencia, como lo hizo un hombre valiente a quien Jesús sanó. En Juan 9, cuando le hicieron preguntas que no supo responder, este hombre sencillamente dijo a sus detractores: "Una cosa sé, que yo era ciego y ahora veo." (v. 25). Cuando desconocemos las respuestas, siempre podemos afirmarnos sobre lo que sí sabemos: Jesucristo ha cambiado nuestra vida. Sin embargo, este no debe ser nuestro único recurso. Tenemos la responsabilidad de dominar las respuestas a las preguntas más comunes.

DOS ACTITUDES PERJUDICIALES

Al considerar y responder a las preguntas que hacen los no cristianos, debemos evitar dos actitudes opuestas aunque igualmente dañinas. La primera es una actitud antiintelectual. Algunos piensan: "No hay que molestarse por conocer la sabiduría humana. Ni siquiera intentes analizar el cristianismo". Nos dan a entender que está mal intentar razonar nuestras ideas.

Otra forma de expresar esta actitud es decir: "No te distraigas por las preguntas de la gente. Sólo predica el evangelio, puro y sencillo". El resultado trágico de adoptar esta posición es que muchas personas inteligentes que no son cristianas suponen por nuestra conducta que sus preguntas honestas no tienen respuesta. Y nosotros mismos a veces nos cuestionamos si verdaderamente tenemos la verdad: si nos enfrentáramos realmente a los hechos, ¿lo soportaría nuestra fe? La actitud antiintelectual suele ser una calle sin salida, tanto para los no creyentes como para nosotros.

La segunda actitud dañina es una ingenua dependencia en las respuestas que tenemos, como si las respuestas por sí solas fueran a atraer a las personas a Jesucristo. A veces, pensamos que una explicación que tiene sentido y que ha ayudado a otros es como una varita mágica. Creemos que cada vez que la usemos, las personas quedarán maravilladas y se verán obligados a creer. Desde luego, somos muy ingenuos al creer esto, pues ya hemos visto que nadie puede llamar a Jesús Señor, sino por el Espíritu Santo. A menos que el Espíritu ilumine la mente de alguien para que vea que la verdad es tal, a menos que subyugue su voluntad arrogante para que se someta a la autoridad de Jesucristo, nuestras palabras no tendrán ningún efecto.

Sin embargo, en las manos de Dios, una respuesta inteligente a sus preguntas puede ser un instrumento para abrir sus corazones y sus mentes al evangelio.

No hay duda de que estamos en una guerra espiritual, tanto nosotros como aquellos que nos preguntan. Pablo explicó las razones por las cuales el mundo no cree: "el dios de este siglo cegó el entendimiento de los incrédulos, para que no les resplandezca la luz del evangelio de la gloria de Cristo" (2 Corintios 4:4). La información por sí sola no puede atraerles a la verdad, a no ser que, a la par de esto, ocurra una obra sobrenatural que les ilumine. Frecuentemente, Dios- mediante el Espíritu Santo- utiliza una presentación de información para atraer a alguien a la fe en Jesucristo.

SATISFACER LA INTEGRIDAD ESPIRITUAL

John Stott, el pastor rector de la Iglesia All Souls en Langham Place, Londres, logró el equilibrio correcto en su frase: "No podemos complacer la arrogancia intelectual de un hombre, pero debemos satisfacer su integridad espiritual." La conversión afecta a toda la persona, incluyendo su intelecto, sus emociones y su voluntad. Si sólo se convierte el intelecto, y no la voluntad, no tenemos un cristiano. En el capítulo cuatro, vimos que no basta con asentir mentalmente a una serie de afirmaciones. Por otro lado, una respuesta emocional hacia Cristo, separada de la mente y la voluntad, también implicaría una conversión incompleta. Es necesario que se convierta toda la personalidad: el intelecto, las emociones y la voluntad.

Yo jamás sugeriría que los cristianos tenemos todas las respuestas a los problemas del mundo, ni siquiera todas las respuestas a los problemas del cristianismo. ¡De ninguna manera! El filósofo y matemático cristiano Pascal señaló que la función máxima de la razón es mostrarnos que algunas cosas van más allá de la razón. Sin embargo, nuestro Señor dijo, refiriéndose a sí mismo: "Conoceréis la verdad, y la verdad os hará libres" (Juan 8:32). Seguramente, quiso decir que sí disponemos de algunos absolutos sobre los cuales podemos basar nuestra vida y destino. Sin estos absolutos, tenemos muy poco que ofrecer al mundo actual.

Me preocupa una actitud que a veces descubro entre las personas, sean cristianas o no: es la idea de que la *búsqueda* de la verdad es más importante que alcanzarla.

Estas personas, en realidad, no quieren obtener las respuestas, porque eso acabaría con su juego. Para ellos, la búsqueda lo es todo. La verdad en sí es menos atractiva y este hecho lo justifican diciendo que la verdad es inalcanzable. Como resultado, cualquier respuesta que escuchen les parece simplista o artificiosa.

Este pensamiento me parece peligroso. Una respuesta válida no necesariamente es simplista. Todo depende de la actitud con que se responde a una pregunta. Una respuesta simplista o superficial suena a una melodía gastada en un viejo fonógrafo. No es simplista la respuesta que toma en consideración el trasfondo de la pregunta y de quien la hace, y que la aborda de manera contundente. No podemos alterar los hechos para que encajen con las presuposiciones de los demás, pero sí presentarlos como un desafío a su integridad intelectual. No tengamos miedo de declarar con honestidad la verdad que hemos recibido.

NO HACEN FALTA CUATRO DOCTORADOS

Al pensar en las preguntas de los demás, a veces nos dejamos abrumar por toda la cantidad de información que aún no dominamos. Creemos necesitar cuatro doctorados y haber leído 5.000 libros antes de poder dar una respuesta válida. Nos agota sólo pensarlo y, finalmente, decidimos: "No puedo hacerlo. Creo que este no es mi campo de testimonio." Permíteme asegurarte que eso no es así, y es algo que he aprendido tras haber tenido el privilegio de testificar a cientos de grupos no cristianos en casi doscientas universidades seculares en varios países.

Cuando comencé a viajar, pensé que jamás sobreviviría. Mi primera charla evangelística fue en la Universidad de Kansas hace unos años y me tocó darla en una residencia de becarios. Sólo pensé: "Señor, ¿por qué me haces empezar en un lugar reservado para estudiantes brillantes con becas académicas? ¡Me van a despedazar!"

Yo no esperaba sobrevivir esa noche, pero, por la gracia y la bondad de Dios, lo logré e incluso un chico se comprometió con el Señor y aún hoy sigue sirviéndole fielmente. Esa noche, comencé a adquirir información valiosa. Descubrí algunas de los interrogantes que acechan las mentes de los no cristianos y, al viajar a otras universidades y hablar con más estudiantes, descubrí un patrón en las preguntas que me hacían.

En todos los aspectos de la vida, le tenemos miedo a lo desconocido. ¿Por qué no nos gusta llamar de puerta en puerta? A algunos, nos tiemblan las piernas sólo de pensarlo. Nos da miedo, porque no sabemos qué hay detrás de esas puertas. ¿Por qué la gente le teme a la muerte? Hasta que recibimos a Jesucristo, la muerte es un gran misterio para nosotros. Y cualquier experiencia que incluya lo desconocido es difícil. Dirigir mis primeros coloquios era muy problemático para mí, porque no sabía qué esperar. Pero ahora ya puedo predecir, con bastante acierto, las preguntas que me harán en una discusión con personas no cristianas. Puede que algunas preguntas se alejen del patrón, pero la mayoría encaja en alguna de las categorías básicas.

RESPUESTAS CORRECTAS A PREGUNTAS INCORRECTAS

Hace poco, dirigí una sesión de práctica con algunos estudiantes de una universidad cristiana. Ellos querían representar cómo sería una charla mía ante una asociación estudiantil secular. Les hablé por un rato como le hablaría a un grupo no cristiano y dejé que me preguntaran todo lo que quisieran. Para mi sorpresa, hicieron preguntas que yo nunca había escuchado en todos mis años de visitar universidades seculares. Muchas de sus preguntas estaban cargadas de términos teológicos o se referían a asuntos como la incompatibilidad de algunas prácticas cristianas.

La mayoría de los no cristianos en una universidad secular desconocen la Biblia y, por ende, hacen preguntas más básicas. Esta comparación nos indica que la mente del estudiante promedio de una universidad cristiana funciona en un canal distinto al de la mente de un estudiante no cristiano. Si bien es comprensible que exista esta diferencia, la misma crea un problema para los cristianos que quieren relacionarse con no cristianos. Necesitan saber las respuestas a las preguntas que los no cristianos realmente se hacen y no estar preparados en mil temas sobre los cuales nadie pregunta. No sirve de mucho tener las respuestas correctas a las preguntas incorrectas.

En una campaña en la Universidad de Georgia, uno de los chicos de nuestro equipo había leído mis artículos sobre "Lo que preguntan los no cristianos". Tras las reuniones, quedamos para informar sobre lo sucedido y el chico, eufórico, me dijo: "Sabes, es increíble. ¡Ya he ido a tres residencias esta semana y me han hecho prácticamente todas estas preguntas!" Su primera experiencia al enfrentarse a las preguntas de los no cristianos confirmó el patrón.

Las preguntas que nos harán suelen seguir este patrón. No necesitamos amontonar muchísima información. Si investigamos las respuestas a las preguntas más comunes, nuestra confianza aumentará y podremos ayudar a quienes las plantean.

OCHO PREGUNTAS BÁSICAS

A continuación, discutiré ocho de estas preguntas principales y las respuestas que suelo dar. Seguramente puedes mejorarlas. A veces, la forma de preguntar varía un poco, pero la pregunta de fondo normalmente estará relacionada con una de estas categorías generales.

1. ¿Qué pasará con los que no han escuchado el mensaje?

Muchos cristianos y no cristianos se preguntan qué será de las personas que nunca han escuchado acerca de Jesucristo. ¿Serán condenados al infierno? Para empezar, creo que debemos reconocer que no sabemos exactamente lo que Dios hará con estas personas, porque Él no nos ha dicho todo. Hay ciertas cosas que sólo Dios conoce. En Deuteronomio 29:29, leemos: "Las cosas secretas pertenecen al Señor nuestro Dios; mas las reveladas son para nosotros y para nuestros hijos para siempre…" En algunos asuntos, Dios no ha revelado completamente su plan; este es uno de esos asuntos. Nuestra preocupación debe ser entender plenamente lo que sí está revelado en la Biblia y depender de ello con firmeza y total confianza.

Primeramente, Dios es justo. Toda la evidencia que tenemos indica que podemos confiar en su carácter y estar seguros de que será justo en su trato con los que nunca han escuchado acerca de Jesucristo. Toda la información que tenemos nos indica que Dios tiene un carácter de justicia.

Segundo, nadie será condenado por rechazar a un Jesucristo de quien no ha oído hablar; más bien, será condenado por violar su propio código moral, sea este elevado o sencillo. Todo el mundo- cada persona, haya o no escuchado los diez mandamientos- está en pecado. Romanos 2 nos dice claramente que todo el mundo tiene algún tipo de estándar o criterio moral, y que, como bien ha demostrado la antropología, en todas las culturas, las personas violan su propio estándar de conducta. Hace casi dos mil años que Pablo explicó:

"Todos los que sin la Ley han pecado, sin la Ley también perecerán; y todos los que bajo la Ley han pecado, por la Ley serán juzgados, pues no son los oidores de la Ley los justos ante Dios, sino que los que obedecen la Ley serán justificados. Cuando los gentiles que no tienen la Ley hacen por naturaleza lo que es de la Ley, estos, aunque no tengan la Ley, son ley para sí mismos, mostrando la obra de la Ley escrita en sus corazones, dando testimonio su conciencia y acusándolos o defendiéndolos sus razonamientos en el día en que Dios juzgará por medio de Jesucristo los secretos de los hombres, conforme a mi evangelio." (Romanos 2:12-16)

Tercero, la Biblia indica que la creación nos provee a todos con suficiente información para reconocer que Dios existe. Esto lo vemos claramente en Romanos 1:19-20:

"Porque lo que de Dios se conoce les es manifiesto, pues Dios se lo manifestó: Lo invisible de él, su eterno poder y su deidad, se hace claramente visible desde la creación del mundo y se puede discernir por medio de las cosas hechas. Por lo tanto, no tienen excusa."

El Salmo 19 confirma este hecho. Podemos concluir también, basándonos en Mateo 7:7-11 y en Jeremías 29:13, que si alguien responde a la luz que ha recibido y busca a Dios, el Señor les dará la oportunidad de escuchar la verdad acerca de Jesucristo.

Cuarto, la Biblia no da lugar a pensar que alguien puede ser salvo sin Jesucristo. Esto lo deja meridianamente claro. El Señor mismo declaró en Juan 14:6: "Yo soy el camino, la verdad y la vida. Nadie viene al Padre sino por mí." Jesús habló con la autoridad de Dios. Es evidente, por lo que Él es y lo que ha hecho en la cruz, que no hay otro camino hacia Dios. Sólo Él ha pagado por nuestros pecados. Él es el único puente sobre el abismo que separa al más alto logro humano del estándar infinitamente santo de Dios. Pedro tampoco dejó espacio para la duda cuando afirmó tajantemente en Hechos 4:12: "Y en ningún otro hay salvación; porque no hay otro nombre bajo el cielo, dado a los hombres, en que podamos ser salvos." Esto representa una gran responsabilidad para quienes decimos ser cristianos: necesitamos encargarnos de llevar el mensaje a todo aquel que no haya escuchado el evangelio.

Lo último que debemos señalarle a quien nos haya hecho esta pregunta es que la Biblia es absolutamente clara en cuanto al juicio que espera a los que sí han escuchado el evangelio. Cuando esta misma persona que nos pregunta se enfrente a Dios, el asunto no será: "¿Y qué de los que nunca oyeron el mensaje?" Ella tendrá que rendir cuentas personalmente sobre lo que ha hecho con respecto a Jesucristo. A veces, la gente plantea esta pregunta para escudarse y evadir su responsabilidad personal. Debemos responder a esta pregunta, por el bien de ellos y por nuestra propia convicción y confianza. Pero luego, al concluir la discusión, debemos derivar la conversación hacia las mismas personas con quienes hemos hablado y confrontarlos con su propia responsabilidad: ¿Qué harán ellos con Jesucristo?

Una discusión más amplia de la ley moral inherente en el universo aparece en el libro *The Case for Christianity*, de C.S. Lewis.

2. ¿Jesús es el único camino a Dios?

La segunda pregunta, que está íntimamente ligada a la primera, es la siguiente: "¿No es cierto que los musulmanes, los budistas y los hindúes adoran al mismo Dios que los cristianos, sólo que con nombres diferentes?" En otras palabras: "¿Es Jesús realmente el único camino a Dios?"

Ni la sinceridad ni la intensidad de la fe puede crear la verdad. La fe no es más válida que el objeto sobre el cual descansa. Creer en algo no lo hace verdadero, necesariamente, y negarse a creer una verdad no la convierte en mentira. El verdadero asunto es la cuestión de la verdad.

Comparemos al islam y al cristianismo, por ejemplo. En los ámbitos de la moral y la ética, podemos encontrar muchas semejanzas entre ambas, pero estas dos religiones se oponen diametralmente en la pregunta más crucial: ¿Quién es Jesucristo? El islam niega que Jesús sea Dios Hijo. Niega que haya muerto en la cruz y que haya resucitado de los muertos. El cristianismo, por otro lado, afirma y se centra en el hecho de que Jesucristo, el Hijo de Dios, murió en la cruz por nuestro pecado y luego resucitó de los muertos. Sobre este tema, ambas creencias no pueden tener la razón. Sólo una de ellas puede ser cierta. Si el centro del cristianismo es falso, nuestra fe no vale nada.

Esta pregunta sobre las otras religiones lleva consigo unos aspectos emocionales que debemos vencer. Queremos que la gente se dé cuenta de que, cuando los cristianos afirman que Cristo es el único camino a Dios, no lo hacen por ser intolerantes, llenos de prejuicios o arrogantes. Como cristianos, no tenemos otra alternativa, porque Jesús mismo dijo esto. Cada cual puede escoger qué creer, pero nadie tiene el derecho de redefinir al cristianismo con sus propios términos. Si vamos a ser fieles a Jesús, debemos estar firmes en lo que Él ha dicho. Está claro que si Él es Dios, esta es la única respuesta posible.

Si reconocemos esto, no podemos pensar que, si tan sólo pudiéramos deshacernos de nuestros prejuicios, podríamos convocar una asamblea de nuestro "club" y enmendar las reglas de membresía. Esta idea revelaría que no hemos entendido el verdadero mensaje. Estamos manejando una verdad que nos ha sido dada mediante revelación, que viene de Dios mismo, quien invadió la historia humana a través de Jesucristo.

Hay una ilustración que me ha ayudado a aclarar este asunto. En algunas facetas de la vida, se determina socialmente el castigo por quebrantar las leyes. Por ejemplo, si hay una señal de stop en la esquina, la comunidad puede votar para elegir si la multa que se pagará al no detenerse en la señal será de cinco, diez o cincuenta euros. Incluso puede abolir la multa. La acción de seguir ante la señal y no detenerse no determina el castigo. La pena legal no es inherente a la violación de la norma.

Pero, en otros aspectos de la vida- el ámbito de la física, por ejemplo-, encontramos que las leyes no se determinan socialmente. Supongamos que nuestra comunidad votó unánimemente suspender la ley de gravedad durante una hora cada día, de 8 a 9 de la mañana. ¿Quién se aventuraría a saltar del tejado de su casa para probarlo? Supongamos que aprobáramos la resolución tres veces. Creo que nadie querría probarlo. Nosotros no determinamos socialmente el castigo por violar la ley de gravedad; la pena es inherente a la violación. Podríamos levantar mociones hasta el cansancio, pero nada cambiaría el hecho de que, si alguien saltara desde el tejado, acabará estrellado en el suelo.

En el ámbito de la moral, como en el de la física, hay leyes que no se determinan socialmente. Discernimos estas leyes de lo que Dios ha revelado acerca de la ley inherente al universo. (Dorothy L. Sayers habla más sobre este tema en el libro *The Mind of the Maker*.)[1]

Si queremos ayudar a alguien a entender esta afirmación de que Jesús es el único camino hacia Dios, nuestra mejor defensa puede ser tomar la ofensiva. No tenemos que estar respondiendo preguntas todo el tiempo. También podemos lanzarle algunas preguntas. Ya que no cree en la afirmación de Jesús, le podemos pedir que responda a algunas preguntas. Podemos empezar preguntando: "Ya que no crees que Jesús sea la verdad, ¿cuál de las otras posibilidades acerca de su persona crees? Hay sólo cuatro posibles conclusiones acerca de Jesucristo y sus afirmaciones. O era un mentiroso, o un loco, o una leyenda, o la Verdad. Alguien que no cree que el era la Verdad debe catalogarlo como un mentiroso, un loco o una leyenda." La mayoría de las personas no se dan cuenta de que estas son sus únicas opciones lógicas. Debemos recordarles que si dicen no creer en Él, sólo les restan tres alternativas.

"¿Cuál es tu conclusión y en que la basas? ¿Era un mentiroso?" Incluso los que niegan su divinidad suelen asegurar que Jesús era un gran filósofo y maestro moral. Llamar mentiroso a este gran maestro sería una contradicción. Y ciertamente, es difícil pensar que Jesús mentiría acerca del tema más fundamental de su enseñanza: su propia divinidad.

Quizás era un loco. Esta conclusión al menos no destruiría su integridad moral. Él pensaba que hacía lo correcto, pero sufría delirios de grandeza. Hoy día sabemos que hay gente que se cree que es Napoleón, incluso Jesucristo. El problema con esta conclusión es que los síntomas clínicos de la paranoia, tal como los conocemos hoy día, no concuerdan con las características de la personalidad de Jesucristo. No vemos en su vida la falta de equilibrio que caracteriza a personas con esta condición. Pensemos, por ejemplo, en el día de su muerte;

---

1 Dorothy L. Sayers, *The Mind of the Maker* (Nueva York: Meridian Books, 1956), págs. 20-21.

estaba bajo muchísima presión y, sin embargo, su porte y compostura no son característicos de personas con enfermedad mental. El relato bíblico no muestra que haya sufrido paranoia o algún otro trastorno psicológico.

Una tercera alternativa es que la documentación que tenemos acerca de Jesucristo sea una narración legendaria. En ese caso, Jesús nunca pronunció las afirmaciones que se le atribuyen, sino que fueron añadidas por sus seguidores entusiastas en el tercer o cuarto siglo. Si Él supiera lo que se ha escrito de Él, se estaría revolviendo en la tumba.

Esta teoría, sin embargo, no se sostiene frente a los avances de la arqueología moderna. Ha habido descubrimientos recientes que confirman la creencia de que los documentos del Nuevo Testamento fueron escritos en el primer siglo, cuando muchos contemporáneos de Jesús aún vivían. Para el desarrollo de una leyenda, se requiere mucho más tiempo. La gente de esa época escéptica no hubiera propagado una leyenda como esta, al igual que nosotros no difundiríamos un rumor de que el difunto Presidente Roosevelt alegó ser dios y dijo tener poder para personar pecados y resucitó de los muertos. Todavía viven muchos que conocieron al Presidente Roosevelt. Con tantos testimonios en contra, el rumor no lograría extenderse demasiado.

En este momento de la conversación, si la persona muestra interés, podemos referirnos a las afirmaciones que hizo Jesús acerca de sí mismo, usando las declaraciones de Juan 14. Él dijo que era la verdad, que era el único camino a Dios y que cualquiera que lo ve a Él, ve a Dios el padre. Una persona que es intelectualmente honesta debe asumir el reto que suponen estas afirmaciones extraordinarias.

3. ¿Por qué sufren los inocentes?

La tercera pregunta frecuente trata el tema del dolor. "Si Dios es bueno y todopoderoso, ¿por qué sufren los inocentes? ¿Por qué nacen algunos niños con ceguera, deformidades o defectos mentales? ¿Por qué permite las guerras? ¿Por qué…?" O bien Dios es bueno, pero no es lo suficientemente poderoso para eliminar la enfermedad y los desastres naturales, o es todopoderoso, pero no es totalmente bueno y, por ende, no elimina el mal.

No tenemos una explicación completa del origen y el problema del mal, porque Dios sólo nos ha revelado una parte. Las personas verdaderamente compasivas no se conforman con una explicación parcial cuando se enfrentan a los horrores del mal en la historia y en el tiempo presente.

Sin embargo, hay unas cosas que sí sabemos. Se nos ha dicho claramente que cuando Dios creó el universo, era perfecto. Adán y Eva tenían la libertad de obedecer a Dios o desobedecer. El mal entró al mundo a través de la desobediencia de esa primera pareja. Uno de los patrones inherentes al universo es que nuestras acciones no sólo nos afectan a nosotros, sino que siempre repercuten en otras personas. Dado que los seres humanos desobedecieron y quebrantaron la ley de Dios, el mal ha invadido el universo y lo domina.

Al discutir esta pregunta, es importante que no olvidemos la presencia del mal en cada uno de nosotros. Muchos se preguntan: "¿Por qué Dios no entra y elimina el mal? ¿Por qué no detiene la guerra?" No se dan cuenta de que si Dios ejecutara el juicio de manera uniforme, ninguno de nosotros sobreviviría. Imagínate que Dios declarara: "Esta medianoche, todo el mal será eliminado del universo". ¿Cuántos de nosotros existiríamos a las 1:00 h?

Una vez señalamos el problema personal que la humanidad tiene con el mal, debemos darnos cuenta de que Dios lo ha resuelto a sus expensas. Él no sólo entró en la historia humana a través de Jesucristo, sino que entregó su vida para solucionar el problema del mal. Todo individuo que responda voluntariamente recibe su regalo de amor, gracia y perdón en Cristo Jesús. C.S. Lewis dijo una vez que es en vano especular sobre el origen del mal. El problema al que nos enfrentamos todos es la existencia del mal. Y la única solución al hecho del mal es la que Dios ha diseñado: Jesucristo.

El filósofo y teólogo Francis Schaeffer, en su último año de vida, habló sobre la perspectiva correcta del sufrimiento desde un punto de vista cristiano. Schaeffer sirvió a Dios de manera muy sacrificada durante muchos años y luego le diagnosticaron leucemia. Cuando le preguntaron cómo reconciliaba la bondad de Dios con su situación actual de muerte inminente, respondió: "¿Por qué no me debía dar cáncer? Vivo en un mundo caído y estoy sujeto a todas las plagas que trae este mundo, tal como lo está alguien no cristiano. La diferencia es que yo conozco mi futuro eterno porque le pertenezco a Jesucristo".

4. ¿Existen los milagros?

Esta cuarta pregunta habla de la oposición entre lo natural y lo sobrenatural. "¿Cómo es posible que ocurran milagros? En esta era científica, ¿cómo una persona inteligente puede creer en los milagros, habiendo considerado el orden de las cosas en el universo?" Si no llegamos a la raíz de esta cuestión, podemos perder largas horas discutiendo si Cristo realmente caminó sobre el agua, si en efecto alimentó a cinco mil personas con cinco panes y dos peces, y si el pueblo de Israel pudo haber cruzado el Mar Rojo. Sólo podemos responder a esta pregunta si vemos la presuposición básica que hay de fondo.

La verdadera pregunta es: ¿Existe Dios o no? Si Dios existe, es lógico que haga milagros y no habría contradicción intelectual al respecto. Un amigo mío que se crió en Asia me dijo una vez que no lograba creer que un hombre pudiera convertirse en Dios. Inmediatamente, identifiqué su problema y le dije: "A mí, también me costaría creer eso, pero puedo creer fácilmente que Dios se hiciera hombre." La diferencia entre estos dos conceptos es abismal. Por definición, Dios es todopoderoso. Él puede intervenir en el que ha universo creado, y así lo hace.

La pregunta fundamental que nos están haciendo es: "¿Cómo puedo saber que Dios existe?" Sin entrar en mucho detalle, voy a mencionar dos ideas principales. La primera es el argumento del diseño. Si mi ordenador, que es relativamente sencillo, no existe por casualidad, parece ilógico e ingenuo pensar que el universo, con toda su complejidad infinita, pudiera surgir del azar. Aunque las partes individuales hayan evolucionado, el hecho de que todas ellas funcionen juntas como un todo, sin alguien que lo haya diseñado, parece inverosímil.

Un segundo argumento se basa en la ley de causa y efecto. ¿Será posible que los seres humanos complejos sean el resultado de una fuerza imprecisa e indefinida? El hecho de que tengamos intelecto, emociones y voluntad nos hace pensar que nuestra existencia debe tener una causa mayor que nosotros, con estas características. Podríamos desarrollar esta teoría más a fondo con numerosas ilustraciones.

Sin embargo, el mayor indicio de la existencia de Dios es su irrupción en la historia humana como un Dios-hombre. J.B. Phillips decía que somos "el planeta visitado". Para responder a cualquiera de estas preguntas, al final llegamos a la misma solución: Jesucristo mismo. Sé que Dios existe, no por todos los argumentos filosóficos a favor y en contra de su existencia, sino porque entró en la historia humana, en Cristo Jesús, y lo he conocido personalmente. Nuestra respuesta comienza con Él.

Ya que Jesucristo afirma ser Dios, debemos examinar su declaración de que Él mismo es la verdad, conforme a lo que hemos discutido en la pregunta número dos. De ahí, debemos pasar a preguntarnos si sus credenciales corroboran su alegación y si, en efecto, resucitó de los muertos. Después de todo, cualquiera puede alegar ser Dios. Yo podría hacerlo; tú también podrías. Donde yo crecí, en Filadelfia, había un hombre que decía ser Dios y se llamaba a sí mismo el "Padre Divino". Ahora bien, ¿cómo puede alguien probar su propia alegación de divinidad? Me atrevo decir que podría desacreditar tu alegación en cinco minutos y seguramente tú podrías hacerlo con la mía en dos. Tampoco es difícil desacreditar al hombre de Filadelfia. Pero al considerar a Jesús, no es tan sencillo. Sus credenciales corroboran su aseveración. La credencial máxima es, por supuesto, su resurrección.

Nuevamente, en el fondo, la pregunta sobre los milagros surge de otra más fundamental: ¿Existe un dios todopoderoso que creó el universo? Si es así, es lógico pensar que puede trascender la ley natural que Él mismo creó. David Hume y otros han definido los milagros como "violaciones de la ley natural", pero, con ello, sin embargo, se deifica a la ley natural, exaltándola de tal manera, que, de existir algún dios, este se vería prisionero de la ley natural y, por ende, dejaría de ser dios.

Los cristianos creemos en la ley natural; es decir, que normalmente, el mundo funciona bajo la ley de causa y efecto, año tras año, siglo tras siglo. Pero, al afirmar esto, no debemos limitar el derecho y el poder de Dios de intervenir cuando quiera y como quiera. Dios está por encima de la ley natural y no está sujeto a la misma.

De manera que los milagros son posibles, siempre que entendemos que no entran en conflicto con ninguna ley natural. Más bien, como ha dicho J.N. Hawthorne, "Los milagros son eventos extraordinarios causados por Dios. Las leyes de la naturaleza son generalizaciones de los eventos ordinarios causados por Dios."[2]

En cuanto a la relación milagros y ley natural, se han desarrollado dos opiniones principales entre los cristianos intelectuales. Unos entienden que los milagros ocurren bajo una ley natural más alta que aún no conocemos. Es bastante evidente que, a pesar de todos los asombrosos descubrimientos de la ciencia moderna, aún estamos en la orilla de un mar de ignorancia. Si todos tuviéramos el conocimiento que posee Dios, veríamos que un milagro es meramente cuando Dios pone en práctica alguna de estas leyes mayores del universo que aún no conocemos.

No obstante, en términos de la ciencia moderna, una ley es aquello que actúa de manera uniforme y regular. Decir que un milagro es el resultado de una ley mayor requiere que usemos el término "ley" más libremente, alejándolo un poco de su significado y uso habitual.

La segunda opinión sobre los milagros me parece más razonable. Afirma que los milagros son un acto de creación, un acto soberano y trascendente del poder sobrenatural de Dios. Los milagros bíblicos superan un análisis minucioso, ya que no pueden ser clasificados como "naturales" ni de origen psicosomático. La resurrección de

---

2   J. N. Hawthorne, *Questions of Science and Faith* (Londres: Tyndale Press, 1960), pág. 55.

Lázaro y la de Jesucristo mismo son sucesos en los cuales se manifestó un poder que está fuera del ámbito de la ley natural, una fuerza que nos es desconocida. Lo mismo sucede con las sanidades de Jesús. Los leprosos que fueron limpiados tuvieron que haber experimentado el poder directo de Dios; no se puede explicar la sanidad del ciego de nacimiento en términos psicosomáticos.

En el caso del hombre que nació ciego, la gente decía que desde el principio no se había oído decir que se le abriese los ojos a uno que nació ciego. En el presente, aún no tenemos una explicación natural para lo que sucedió. ¿Y quién puede hoy día explicar la resurrección de Jesucristo usando las leyes naturales? ¡Nadie! Es imposible eludir la dimensión sobrenatural de su vida.

Cuando hablamos de lo natural y lo sobrenatural, debemos señalar lo que significa probar la existencia Dios. Sin darse cuenta, la gente probablemente espera pruebas conforme al método científico. Es imposible probar la existencia de Dios mediante este método, pero eso no significa que hemos perdido la batalla. La verificación por medio del método científico se limita a los aspectos de la vida que pueden ser medidos. Por consiguiente, muchas áreas de la vida quedan fuera de su ámbito de eficacia. Nunca hemos visto tres kilómetros de amor ni dos kilos de justicia, pero no negamos su existencia. Sería absurdo insistir en usar el método científico para verificarlo todo; sería como intentar medir el gas con un micrófono. Ese no es el propósito del micrófono y no podemos obligarlo a cumplir una función que no está entre sus capacidades, ni negar, por ello, la realidad del gas.

Otra limitación del método científico es que requiere que se verifiquen los datos mediante la repetición; tal repetición forma parte del método. El problema es que la historia no puede repetirse. Ya que nadie va a repetir a Napoleón, podemos afirmar categóricamente que es imposible probar a Napoleón utilizando el método científico. La historia, por ser irrepetible, queda fuera del alcance del método científico, pero hay una ciencia de la historia. Si examinamos los datos del cristianismo, especialmente las evidencias de la resurrección, encontraremos una base sólida sobre la cual podemos fundamentar nuestra convicción.

Es importante que compartamos estas ideas con las personas que toman una postura materialista y se basan en presunciones racionalistas para afirmar que lo sobrenatural no existe y, por lo tanto, los milagros tampoco. Si comienzan con esta idea preconcebida, no hay evidencia alguna que les convenza de la verdad. Si empiezas por negar la posibilidad de un milagro, ¿qué evidencia te convencería de que ha ocurrido? Ninguna. Los que dicen: "Si Dios se me apareciera, creería en él" son muy ingenuos. Pase lo que pase, si no quieren creer, buscarán la manera de explicar lo sucedido con alguna excusa racional.

Cristo habló de este problema en Lucas 16:28-31, cuando el hombre rico le pide a Abraham que envíe a Lázaro a sus hermanos para advertirles del juicio eterno. Abraham le recordó: "A Moisés y a los profetas tienen; que los oigan." Pero el rico le respondió: "No, padre Abraham; pero si alguno fuera a ellos de entre los muertos, se arrepentirán." Abraham le dijo: "Si no oyen a Moisés y a los profetas, tampoco se persuadirán aunque alguno se levante de los muertos." Este principio sigue siendo cierto. Los datos que tenemos acerca de la visita de Dios a este planeta son suficientes para que creamos. Cuando alguien rehúsa aceptar esta evidencia, ninguna otra le persuadirá.

5. ¿La Biblia no está llena de errores?

La quinta pregunta es: "¿Cómo concilias tu fe con el hecho de que la Biblia contenga tantos errores?" Se ataca la fiabilidad de las Escrituras. Para empezar, debemos preguntar a qué se refiere la persona cuando habla de errores. En la mayoría de los casos, no se le ocurre ninguno. Han oído decir que la Biblia está llena de contradicciones y se lo han creído. Otras veces, la persona tiene un problema específico en mente. Si no tienes respuesta para su pregunta particular, ¡tranquilo! Sonríe y explícale: "No sé la respuesta a eso, pero con gusto lo investigaré y lo podemos discutir." Hay muchísimo material escrito sobre estos temas. Han pasado dos mil años; no creo que esta semana se le ocurra a alguien la pregunta que desbarate por completo al cristianismo.

Si la persona no ha leído la Biblia, ya es un indicio de que su cuestionamiento no es tan sincero. Pero no uses esto en su contra. De ninguna manera debemos burlarnos de los demás ni ponerlos en ridículo para ganar una discusión. Esta conducta puede ser fatal, sobre todo al hablar de estos temas importantes. Se le ha hecho mucho daño a la fe cristiana a causa de algunos que, quizás con buenas intenciones, ridiculizaron la opinión de los demás. Sólo han logrado ensuciar la imagen del evangelio.

La Biblia sí que contiene algunas aparentes contradicciones. No obstante, nuestros amigos tal vez no se dan cuenta de que, a través de los descubrimientos de la arqueología moderna, se han ido explicando muchas de las aparentes contradicciones. Keith N. Schoville, un reconocido arqueólogo contemporáneo, hizo una asombrosa declaración: "Es importante darnos cuenta de que las excavaciones arqueológicas han producido evidencia abundante para demostrar claramente que la Biblia no es una obra de falsificación por parte de los religiosos. Hasta el momento, no se ha adquirido- mediante la investigación arqueológica- evidencia alguna que desacredite los hechos históricos expuestos en la Biblia."[3]

En cuanto a los conflictos que aún aparenta haber entre la Biblia y la historia, nuestra actitud lógica debe ser la de esperar a ver lo que se descubra en un futuro. No tenemos todas las respuestas a todos los problemas, pero la información que disponemos hasta ahora ciertamente nos permite confiar en los relatos bíblicos que contienen detalles que aún se ven dudosos.

La teoría de la evolución sólo es un problema para la evangelización cuando conduce a la conclusión de que no existe Dios. No es prudente discutir tecnicismos acerca de la evolución, porque este

---

3   Keith N. Schoville, *Biblical Archaeology in Focus* (Grand Rapids: Baker Book House, 1978), pág. 156.

no es el tema principal. Suelo preguntar: "¿A qué conclusión te lleva tu postura evolucionista: a que el universo surgió por casualidad o a que Dios creó el universo utilizando los procesos evolutivos? No estoy convencido acerca de esa postura, pero supongamos por el momento que es correcta. ¿A qué conclusiones llegas?" A partir de ahí dirijo la atención de la persona a lo que Jesucristo ha dicho y hecho. Lo más importante no es saber cómo Dios creó al universo, sino que fue Él quien lo hizo.

Muchas veces, lo que determina la conclusión de una persona no es la evidencia disponible, sino sus propias presuposiciones. Si alguien sugiere que Dios no es el autor de la creación y que el universo surge de procesos del azar, vale la pena discutir el problema con la persona. La posición naturalista puede parecer muy sólida siempre y cuando se ignore la evidencia sobre Jesucristo. Es asombrosa la cantidad de intelectuales no cristianos que nunca han considerado la encarnación de Cristo y las implicaciones que esta tendría sobre el tema de los milagros.

6. ¿No se puede explicar la experiencia cristiana en términos psicológicos?

La sexta pregunta es sutil y puede tornarse muy personal: ¿No es posible explicar la experiencia cristiana en términos puramente psicológicos? Hay quien piensa que sólo tenemos fe, porque hemos sido condicionados desde la niñez para pensar y vivir de esta manera. Creen que hemos sido criados como los perros de Pavlov, pero esto es simplificar la situación demasiado. Cualquiera que haya viajado un poco sabe que hay cristianos que se han convertido desde todo tipo de trasfondos y que hay muchísimas conversiones que no se pueden explicar por un condicionamiento circunstancial. Miles de personas que no han tenido contacto alguno con el cristianismo durante su niñez testifican haber tenido un encuentro personal con Jesucristo y que este les ha transformado la vida. En sus investigaciones, los psicólogos procuran manejar la situación experimental de manera que todo esté constante excepto una o dos variables que serán el objeto de estudio. Sin embargo, si comparamos las vidas de todos los cristianos, ¡la única constante es Jesucristo!

Cada caso es distinto a los demás y todos los detalles pueden cambiar; sólo Jesús es siempre el mismo. Sólo Él puede convertir al ladrón en honesto, al inmoral en puro y al mentiroso en sincero. Sólo Él puede llenar de amor un corazón plagado de odio.

Otros psicólogos afirman que las ideas de la realidad espiritual son en esencia proyecciones de un deseo. La experiencia religiosa, según ellos, surge de personas que sienten una necesidad de Dios y, por tanto, crean una imagen en su mente y luego adoran esa proyección mental. Esa supuesta realidad espiritual, por supuesto, carece de realidad objetiva. Una y otra vez, escuchamos decir que la religión es una muleta para aquellos que no saben manejar los problemas de la vida. Esta perspectiva nos invita a considerar un asunto importante.

¿Cómo podemos estar seguros de que no nos hemos hipnotizado a nosotros mismos? ¿Creemos sólo lo que queremos creer? Si nuestra experiencia espiritual es sólo una ilusión provocada por nuestros deseos o por el poder del pensamiento positivo, es posible que cualquier objeto se convierta en nuestro dios. Un piano, por ejemplo, podría convertirse en Dios para nosotros si nos esforzamos mentalmente en considerarlo como tal. Así acabamos con una experiencia subjetiva, pero ¿qué evidencia objetiva tenemos para este tipo de experiencia?

Veámoslo de otra manera. Imagínate que alguien entra a tu habitación con un huevo frito colgando de su oreja izquierda y te dice: "¡Este huevo frito es una pasada! Gracias al huevo, tengo gozo, paz, satisfacción y sentido en mi vida. Es estupendo, tío; ¡este huevo es lo mejor!" ¿Qué le dices? Al fin y al cabo, no puedes refutar su experiencia. Por eso el testimonio de un cristiano es tan eficaz: nadie puede refutarlo. Igual que tú no podrías discutir con el chico del huevo.

Ahora bien, sí que puedes investigar la experiencia de este chico, haciéndole algunas preguntas cruciales (las mismas preguntas que un cristiano debe prepararse para responder acerca de su propia experiencia). ¿Cómo sabes que la satisfacción y la paz vienen del huevo y no de una autohipnosis? ¿Alguien más ha recibido los beneficios del huevo? ¿Con qué hecho objetivo relacionas esta experiencia? El cristianismo se distingue de la hipnosis, la proyección de deseos y los demás fenómenos psicológicos en que la experiencia subjetiva del cristiano está firmemente ligada a un hecho histórico objetivo: la resurrección de Jesucristo de entre los muertos.

Un profesor de semántica de la Universidad de California en Berkeley asistió a una serie de mis charlas. Era totalmente relativista en su forma de pensar. En medio de mis conferencias, se ponía en pie e interpretaba- y refutaba- lo que yo decía. Es cierto que lo hizo con una buena actitud, pero la realidad es que me resultaba agotador.

Este profesor era defensor de la idea popular de que lo que es cierto para uno no necesariamente es cierto para otro, y usaba la siguiente ilustración: Un hombre está atado a las vías del ferrocarril. En el momento en que viene un tren en la vía paralela a la suya, el hombre muere de un ataque cardíaco porque no sabe que no viene por su vía. El tren no representaba un peligro para él, pero da igual, porque en su mente, lo iba a atropellar y eso se convirtió en su realidad. De manera que lo que es cierto para ti, no necesariamente es cierto para mí.

Varias veces intentamos mostrarle a este profesor la importante diferencia del cristianismo: el hecho de la resurrección. A la cuarta vez, cayó en la cuenta. Estaba de pie frente a la pizarra, con una tiza en la mano, comentando algo, cuando, de pronto, se detuvo, se quedó pensativo un momento y dijo: "Ya… sí, eso sí que supondría una gran diferencia", y se sentó.

Si la resurrección es real, significa toda la diferencia del mundo. Es la confirmación de la revelación de Dios en Cristo, una verdad absoluta, un dato histórico independiente, un hecho objetivo al cual está ligada nuestra experiencia subjetiva. Debemos mirar estos dos hechos -lo objetivo y lo subjetivo- en su justa perspectiva. Que Jesucristo se levantara de los muertos no significa nada para mí a nivel personal hasta que lo recibo como Señor y Salvador en mi propia vida. Por otro lado, si sólo tengo mis experiencias, tarde o temprano me preguntaré si es real o meramente autosugestión. Necesito reconocer que mi experiencia está basada en el fundamento sólido de un hecho objetivo de la historia.

Nuestro fundamento objetivo es la comprensión firme de la resurrección de Jesucristo. Si quieres un resumen breve y práctico, puedes leer el folleto de InterVarsity Press titulado *The Evidence for the Resurrection,* de J.N.D. Anderson, un profesor de Derecho Oriental de la Universidad de Londres. Él discute la evidencia de la resurrección y varias de las alternativas que se han desarrollado para explicar por qué no existió, y muestra cómo, a la luz de los datos, cada argumento en contra de la resurrección resulta inadecuado.

7. ¿No me puedo ganar el cielo mediante una vida buena y moral?

La séptima pregunta refleja una actitud muy común en nuestra época. "¿No es suficiente con vivir una vida moral?" Un estudiante de la Universidad de Duke me dijo después de una discusión: "No creo que Dios me niegue la entrada al cielo. No me porto demasiado mal." Sus palabras resumen claramente la confusión sobre la religión que impera hoy día. La mayoría de las personas aceptan esta filosofía de que lo que nos toca es hacer lo mejor que podamos y todo estará bien. En esta nostálgica esperanza, vemos un gran optimismo acerca de la justicia humana y una ignorancia espantosa acerca de la infinita santidad de Dios. Dios no nos mide conforme al resto de las personas. Tiene un estándar absoluto: Jesucristo.

Cuando se enciende una luz, las tinieblas desaparecen. De igual manera, el carácter de Dios es tan puro y perfecto, que consume toda maldad. Si nos acercáramos a Él sin ayuda, no podríamos sobrevivir ante su presencia por la corrupción de nuestras vidas. La justicia perfecta de Jesucristo es el único fundamento por el cual podemos tener comunión con el Dios viviente.

Veamos una ilustración que puede ayudar a la gente a comprender su equivocación. Supongamos que toda la raza humana se alineara en la costa oeste de los Estados Unidos con un mismo objetivo: llegar a Hawaii. Podemos comparar su meta al estándar de justicia de Dios. Se da la señal y todos los nadadores entran al agua. Al mirar a los nadadores, vemos a la persona más moral de todas. Ella ha sido una profesora excelente y una buena persona, siempre da lo mejor de sí y se rige por un código moral muy elevado; no obstante, sería la primera en confesar su propia imperfección y pecaminosidad. Aun así, vemos que ya ha nadado más de cien kilómetros.

Por otro lado, miremos a Marcos, un estudiante universitario que no es demasiado malo. Él sí que copia en los exámenes y de vez en cuando se emborracha, se mete en varios líos y hace cosas incorrectas. Pero, en general, no va de camino a la cárcel ni nada parecido. Ha nadado quince kilómetros. Hay también un criminal empedernido que apenas ha nadado cien metros y ya se está ahogando. El resto de la humanidad anda dispersada por el agua entre estos dos extremos. Si miramos a la profesora moral que ha nadado cien kilómetros y la comparamos con el delincuente que apenas ha logrado alejarse de la orilla, apreciamos una enorme diferencia. Pero, en términos de llegar a Hawaii, ¿cuál es la diferencia? Todos se ahogarán.

Aquí no hacen falta unas cuantas clases de natación. Esto sería inútil. Lo que realmente necesitamos es alguien que *nos lleve* hasta Hawaii. Ese es el papel de Jesucristo. Si puedes llegar a Hawaii sin ayuda, y vivir una vida absolutamente perfecta en pensamiento, palabra y hecho, podrás llegar al cielo por tu propia cuenta. Pero esto no es así. Nadie lo ha logrado y nadie lo logrará jamás. Todas las demás religiones del mundo funcionan como instrucciones de natación, son códigos de ética que guían a uno hacia un estilo de vida ejemplar.

Sin embargo, el problema principal del ser humano no es la falta de conocimiento sobre cómo debe vivir, sino que le falta el poder para vivir como debe ser. La buena noticia del cristianismo es que Jesucristo, quien irrumpió en la historia humana, realiza en nuestro lugar lo que nosotros somos incapaces de hacer. A través suyo, podemos reconciliarnos con Dios, pues su justicia nos ampara y nos permite tener comunión con Él en su misma presencia.

8. ¿No es la fe creer en algo que no es real?

Hay un asunto que quizás no surja como una pregunta, pero yo suelo tomar la iniciativa y mencionarlo, ya que llama tremendamente la atención de la persona con quien estoy hablando. El tema es el siguiente: la fe es comúnmente equiparada a la superstición. ¿Alguna vez has escuchado decir a alguien que, para tener fe, hace falta despedirte para siempre de tu cerebro? "Soy demasiado inteligente como para dejarme llevar por la fe."

Los no creyentes no son los únicos que piensan así. Algunos cristianos también equiparan la fe a la superstición. En el fondo, aceptan como definición de la fe lo mismo que creen algunos niños de escuela dominical: "Es creer en algo que sabes que no es verdad". Debemos ser honestos: muchos sentimos que esto es así. Algunos datos sencillos acerca de la fe nos pueden ayudar a entender estas respuestas que hemos discutido.

EXPERIENCIA DIARIA

Primeramente, la fe es algo común a todos. Es un error pensar que la fe es un fenómeno exclusivo de algunas personas perturbadas emocionalmente que no pueden manejar su vida sin una muleta. Los mismos que consideran la fe como un calmante ejercitan la fe todos los días. Seguramente, has comido al menos una vez hoy algo que ni preparaste tú mismo ni observaste mientras lo prepararon. Al comer, no tenías forma de saber si la comida tenía veneno o no, pero aun así te la comiste, por fe. Tal vez fue una fe ciega y podrías estar envenenado sin saberlo, pero probablemente te la comiste porque confiabas en quien la cocinó, aunque fuera en un restaurante y no conocieras al cocinero. Ejercitaste una fe razonable. Los estudiantes también tienen fe en sus instituciones académicas y esperan recibir su título cuando hayan completado sus cursos.

Toda investigación científica -así como el progreso mismo- también depende de la fe. A pesar de que se enfatiza mucho la objetividad de la ciencia y de los científicos, su trabajo se basa en una serie de axiomas indemostrables que se aceptan -perdonadme la expresión- por fe. Los científicos comienzan por creer que hay una realidad ordenada que podemos observar. Además, creen que hay leyes causales que le aplican a esa realidad. Es decir, que cada causa tiene un efecto. Finalmente, creen que la lógica humana es adecuada para describir la realidad física e incluso para entender el universo. Estos axiomas se aceptan implícitamente y rara vez se cuestionan. Por lo tanto, la fe es una experiencia genuina que experimentamos todos. La pregunta no es: "¿Tenemos fe?", sino "¿En qué tenemos fe y hasta qué punto la ejercitamos?"

LA VALIDEZ DE LA FE

Yo diría que la validez de la fe depende del objeto (la persona o la cosa) sobre el que se basa dicha fe. Tal vez tienes fe implícita en tu hermano. Si él te pide cincuenta euros prestados esta tarde y tú los tienes, seguramente se los darás. Pero supongamos que él ha deshonrado a tu familia -sin tú saberlo- y ha decidido dejar el país permanentemente. Toda la fe y la confianza que tenías en él no te va a devolver tu dinero una vez haya desaparecido. Tu fe en tu hermano es válida, pero sólo en la medida en que él es confiable.

También podemos pensar en un padre que lleva a su niña enferma a la selva a ver a un brujo. El padre puede tener una fe implícita en el brebaje que le dará para curar a su hija. No obstante, por más que crea en esta poción, si la misma es venenosa, la fe del padre no salvará a la niña. La fe no tiene mayor validez que el objeto en el que se cree. Su fe no es más que superstición.

Este principio tiene una consecuencia: la creencia, por intensa que sea, no crea la verdad. La validez de la fe no aumenta por la intensidad con la que se ejercite. Mucha gente ingenua piensa de esta manera y dicen: "Me parece genial que creas eso. Es cierto para ti, aunque no lo es para mí." La fe no convierte el deseo en realidad. Puede que estemos confiando en conceptos puramente superficiales. Una abuelita le alquiló una habitación a un joven que le robó. Ella, muy entristecida, dijo: "Pero si era un chico tan bueno. ¡Me enseñó su carné y todo!" Ella aún quería creer en su integridad, pero su creencia no era capaz de crear una verdad objetiva. La fe no crea la verdad, al igual que la falta de fe no la destruye.

Hace unos años, un hombre en Texas recibió noticias informándole que había recibido una herencia millonaria de un pariente suyo que vivía en Inglaterra. Este tejano era un recluso que vivía en la pobreza y jamás supo que tenía un pariente en Inglaterra. A pesar de que estaba a punto de morir de hambre, rehusaba creer la buena noticia. Su incredulidad no alteró el hecho de que era, en efecto, el heredero de un millón de dólares, pero le impidió disfrutar de ese dinero. Murió así, pobre y hambriento. La verdad objetiva permaneció intacta, pero el hombre perdió los beneficios de la misma, porque no tuvo la fe suficiente para reclamarlos.

En nuestra experiencia humana cotidiana, tratamos a los hechos como hechos. Casi todos aceptamos la idea de que la fe no puede crear un hecho objetivo, ni la incredulidad puede destruirlo. Sin embargo, cuando se habla de Dios, la cosa cambia y nos volvemos ingenuos. Más de una vez, he escuchado a un estudiante decir: "Ah, no, yo no creo en Dios" y con eso cree que ha resuelto la pregunta. Otros dicen: "¿Cielo? ¿Infierno? No puedo creer que realmente existan." Así no tiene que preocuparse más por el asunto o, al menos, eso piensa él, como si al no creer en ellos los hubiera eliminado de la realidad.

A.W. Tozer señala una distinción entre *fe* y *superstición* que nos puede ayudar en este tema. La fe ve lo invisible, mas no lo inexistente. Hebreos 11:1 nos explica el término: "Es, pues, la fe la certeza de lo que se espera, la convicción de lo que no se ve." Los ojos de la fe ven algo que es real a pesar de ser invisible. La superstición ve lo que no es real, lo inexistente. A medida que aprendemos a discernir entre la realidad invisible y lo irreal, descubrimos inmensas diferencias entre ambos.

Repasemos: Todo el mundo cree en algo. La validez de la fe de cada persona se determina por el objeto de dicha fe y no por su intensidad. La fe puesta en algo que no existe es mera superstición.

Ya que el objeto de la fe cristiana es el Señor Jesucristo, debemos preguntarnos si Jesús es un objeto válido de nuestra fe. Muchas personas, tras analizar los datos, han concluido que sí lo es. Si ponemos a prueba la hipótesis mediante la experiencia de una relación personal con Él, podremos demostrar su absoluta fiabilidad.

EL PROBLEMA PRINCIPAL ES MORAL

Después de haber reflexionado brevemente acerca de estas preguntas, debemos recordar que, en última instancia, el problema principal de la humanidad no es intelectual, sino moral. En ocasiones, nuestras respuestas no van a satisfacer a algunas personas, pero ese rechazo no invalida nuestra respuesta. Por otro lado, puede que convenzas a algunos y que ellos, aun así, no quieran ser cristianos. Un chico me dijo una vez: "Has respondido estupendamente todas mis preguntas." Tras agradecerle el halago, le pregunté: "¿Quieres ser cristiano, entonces?" Él se sonrió un poco avergonzado y me respondió: "Pues, no." "¿Y por qué no?", quise saber. Su respuesta fue reveladora: "Francamente, implicaría un cambio demasiado radical en mi estilo de vida."

Muchas personas no están dispuestas a poner sus vidas en las manos de otra persona, ni siquiera de Dios mismo. No es que no pueden creer, es que no quieren creer. Al menos, algunos reconocen el verdadero problema. Nuestra responsabilidad es llevarles hasta ese punto de poder entender, y para eso nos sirve la información de este capítulo.

Alguna gente se pregunta: "Si el cristianismo es cierto, ¿por qué hay tanta gente inteligente que no lo cree?" La razón es la misma que tienen los que no son intelectuales: ¡No quieren creer! No están dispuestos a aceptar las exigencias morales de esta fe. Podemos llevar un caballo al agua, pero no podemos obligarlo a beber. Para poder creer, la persona tiene que estar dispuesta a creer. Tú y yo no podemos hacer absolutamente nada con las personas que, a pesar de toda la evidencia que les contradice, insisten en que el negro es blanco.

Nosotros mismos debemos estar convencidos de la verdad que proclamamos. De otra forma, no podremos convencer a nadie. Hemos de poder decir con confianza, como decía Pedro: "No os hemos dado a conocer el poder y la venida de nuestro Señor Jesucristo siguiendo fábulas artificiosas" (2 Pedro 1:16). De esa manera, nuestro testimonio ira cargado de autoridad, convicción y poder del Espíritu Santo.

PREGUNTAS PARA EL ESTUDIO INDIVIDUAL O EN GRUPO

1   1 Pedro 3:15 nos exhorta a estar "siempre preparados para presentar defensa con mansedumbre y reverencia ante todo el que os demande razón de la esperanza que hay en vosotros." ¿Te cuesta obedecer -o querer obedecer- este mandamiento? Si es así, ¿por qué?

2   Paul Little expone que los cristianos suelen adoptar dos actitudes peligrosas cuando se enfrentan a preguntas acerca de la fe: que hacer preguntas está mal y que responder a las preguntas automáticamente atraerá a las personas a Jesús (págs. 120-121). ¿Por qué crees que los cristianos se sienten así?

3   ¿Cuáles son los efectos negativos de dichas actitudes?

4   ¿Cómo reaccionas cuando alguien cuestiona al cristianismo? ¿Cómo podrías aprender a manejar mejor la situación?

5   Para ayudar a otros con sus preguntas, es importante saber por qué preguntan y luego, si es posible, procurar afianzarlos. A continuación, se repiten las ocho preguntas que el autor ha escuchado más frecuentemente.

- ¿Qué pasará con los que no han escuchado el mensaje?
- ¿Jesús es el único camino a Dios?
- ¿Por qué sufren los inocentes?
- ¿Existen los milagros?
- ¿La Biblia no está llena de errores?
- ¿No se puede explicar la experiencia cristiana en términos psicológicos?
- ¿No me puedo ganar el cielo mediante una vida buena y moral?
- ¿No es la fe creer en algo que no es real?

Elige al menos dos de las preguntas y trata de determinar qué es lo que motiva a la persona a preguntar esto.

6   Si alguien te hiciera una de estas preguntas, ¿cómo tratarías de responderle?

7   Habiendo leído el capítulo, ¿crees que tienes respuestas preparadas para estas preguntas básicas? Si no, ¿cómo debes prepararte?

8   El autor dice: "Hace poco, dirigí una sesión de práctica con algunos estudiantes de una universidad cristiana… Hicieron preguntas que yo nunca había escuchado en todos mis años de visitar universidades seculares" (pág. 123). A medida que la persona va aprendiendo más acerca del cristianismo, también aumenta el grado de profundidad de sus preguntas. Si eres una de estas personas o conoces a alguien así, ¿cómo puedes lograr responder a estas preguntas?

9   Haz una lista de tus propias razones por las que crees que Jesús es el único camino a Dios.

SUGERENCIAS PARA UN LÍDER DE GRUPO

1   Permite que los participantes compartan cómo pusieron en práctica el estudio de la semana anterior. Podéis discutir por qué lo lograron o por qué fracasaron.

2   Si los miembros del grupo hicieron sus listas de razones para creer que Cristo es el único camino a Dios, haz que se revisen mutuamente dichas listas y comenten: los puntos fuertes (claro, práctico, lógico) y los puntos débiles (ilógico, inconsistente, no bíblico). Discute las críticas con el grupo de manera positiva.

07 CRISTO ES RELEVANTE HOY

Lo que más se pregunta la gente en la actualidad no es: ¿Tiene razón el cristianismo? En sus mentes hay una pregunta más práctica: ¿Es relevante? La reacción de muchos estudiantes es: "Vale, yo creo lo que dices sobre Jesucristo… ¿y qué? ¿Qué tiene que ver esto con la vida actual? ¿Qué tiene que ver conmigo?" Si queremos hablar de Jesucristo hoy día, debemos tener claro que Él es relevante para nosotros personalmente. A partir de ahí, podemos relacionar los eventos que sucedieron hace dos mil años con la vida de nuestra época.

Vivimos una época en la que es normal hablar de realidades espirituales como parte de un intercambio social cotidiano. El tiempo de los tabúes de la religión y la política ya ha pasado. Y hoy, más que nunca, es necesario discutir estos temas. Un poco antes de morir, el Dr. Karl Compton, de la universidad de MIT, nos advirtió de que la humanidad se enfrentará a su propia destrucción a menos que sus avances morales y espirituales vayan a la par con los avances tecnológicos.

Hace unos años, la revista *Life*, en un reportaje sobre los ganadores del premio Nóbel de la física, señaló que los enormes y veloces avances alcanzados en el conocimiento científico son un mero aumento aritmético en comparación con el aumento geométrico de la ignorancia. Cada nuevo descubrimiento nos hace más consciente de cuántas cosas no sabemos ni podemos controlar. Además, se nos abren nuevos campos de acción que pueden ser manipulados, tanto para fines buenos, como para fines malvados. La energía nuclear, por ejemplo, se puede usar para destruir ciudades o para tratar el cáncer. La manipulación genética que está diseñada para ayudarnos puede desviarse y causar desastres que ni imaginamos. Aunque muchos intentan disociar la moralidad de la ciencia, los temas de la ética y la metafísica se investigan hoy mucho más abiertamente que antes.

UN VACÍO INTERIOR

Muchas personas se han dado cuenta de que no pueden vivir sólo a base de ideas tópicas. ¿De qué manera Cristo les concierne? Si consideramos las necesidades presentes y eternas del ser humano, vemos que las palabras de Jesús muestran su relevancia para la gente de nuestro siglo. El evangelio de Juan nos da una pista al exponer los "Yo soy" de Jesús y nos deja ver la relación que estos tienen con las necesidades de la gente de hoy.

Una necesidad básica es llenar el vacío espiritual, encontrar una respuesta a ese vacío interno que acosa a tantas personas hoy día. La gente suele sumergirse y perderse en un mar de actividades y estímulos externos. Si se separan de esos estímulos y se encuentran solos con sus pensamientos, se sienten aburridos, ansiosos o deprimidos. Notan en su interior el dolor del vacío y no logran evitarlo. Se dan cuenta de que carecen de recursos intrínsecos para afrontar las pruebas de la vida, que sólo cuentan con muletillas externas. Y nada externo puede producir una satisfacción duradera. La satisfacción plena debe surgir de dentro, de nuestro interior.

El Señor Jesucristo dijo en Juan 6:35: "Yo soy el pan de vida. El que a mí viene nunca tendrá hambre, y el que cree en mí, no tendrá sed jamás."

Algo extraordinario sucede cuando nos relacionamos personalmente con Jesucristo como una persona viva. Él entra a nuestro ser interior y llena nuestros vacíos espirituales como nadie más puede hacer. Dado que Él vive dentro de nosotros mediante la presencia del Espíritu Santo, podemos tener plena satisfacción. A través de los siglos, Agustín y muchos otros han compartido este descubrimiento: "Nos has hecho para ti, oh Dios, y nuestros corazones están inquietos hasta que encuentran su reposo en ti." Dios nos creó de esta manera: somos criaturas que dependemos de nuestro Creador para alcanzar la plenitud y la satisfacción.

Para lograr vivir plenamente como lo quiso nuestro Hacedor, Él debe ocupar el lugar central en nuestras vidas.

Liberarse de la dependencia en cosas externas para la estimulación y el placer es comparable a zamparse un suculento filete tras meses de comer sólo patatas. Podemos dejar de depender de las cosas materiales externas sin dejar de disfrutar de ellas. Podemos disfrutar de un concierto, por ejemplo, o de la belleza de un atardecer, para la gloria de Dios. Pero ya no dependemos de estas cosas para nuestra satisfacción. Al igual que nuestro Señor, tenemos una comida que otros no tienen, es decir, hacer la voluntad de nuestro Padre celestial (Juan 4:32). Mediante el Señor Jesucristo, nos alimentamos de los recursos que llevamos dentro. Disfrutamos de las cosas externas, pero no dependemos de ellas.

Jesucristo es lo que mucha gente intenta alcanzar. Él es quien llenará su vacío doloroso y les libertará de sus falsas dependencias.

VIDA SIN PROPÓSITO

Otra necesidad importante es la falta de propósito y de dirección que caracteriza a nuestra generación. Lo veo una y otra vez en el mundo estudiantil. Muchos se me acercan después de una charla y me dicen: "Me has descrito perfectamente. No sé qué estoy haciendo aquí en la universidad. No sé por qué como tres veces al día y estudio arquitectura (o física o lo que sea). Estoy aquí porque mis padres me lo pagan, pero no entiendo de qué se trata esto ni hacia dónde se dirige. Estoy atrapado en un ciclo de rutinas diarias. Es muy difícil seguir leyendo y estudiando cuando no logro ver hacia dónde voy ni por qué."

Ante esta necesidad, el Señor Jesucristo dice: "Yo soy la luz del mundo. El que me sigue no andará en tinieblas, sino que tendrá la luz de la vida." (Juan 8:12)

Cuando seguimos al Señor, descubrimos un propósito y una dirección para nuestra vida, porque vivimos a la luz de Dios mismo y de su voluntad hacia nosotros.

Ya no tropezamos en la oscuridad de la confusión. ¿Alguna vez has tanteado en una habitación oscura buscando el interruptor de la luz?

Chocas con algo. De pronto, sientes un roce en la cara. Das un salto del susto y tiras la papelera. Tu pulso se acelera. ¿Conoces esta sensación de inseguridad? Al fin, encuentras el interruptor, lo enciendes y te orientas. Inmediatamente, te sientes seguro. Sabes cómo proceder. Nuestra experiencia es similar cuando conocemos al Señor Jesucristo. Él nos saca de la confusión y la inseguridad a su luz. Vemos nuestra vida en el contexto de la voluntad de Dios y sus propósitos para la historia. Y esa visión nos brinda sentido, dirección y propósito.

La Biblia nos revela casi toda la voluntad de Dios. Cuando obedecemos la voluntad de Dios que ya conocemos, Él nos mostrará más detalles de su voluntad. Cuando le decimos que estamos dispuestos a aceptar su voluntad, sea cual sea, Él comienza a revelarnos detalles adicionales sobre dónde debemos estar y qué debemos hacer. De la misma forma que se desenrolla un pergamino, nos va mostrando a nosotros, sus hijos, sus propósitos divinos.

Estos detalles que significan tanto para nosotros como individuos, en cierto sentido son sólo accesorios al propósito general de Dios. Él está llamando para sí a un pueblo, de todas las tribus y lenguas y naciones, un pueblo que manifieste la semejanza de Cristo. Esto es lo que Dios está haciendo en la historia. Cuando Él haga culminar la historia, tú y yo tendremos el privilegio de haber sido parte de la obra eterna de Dios.

Nuestras vidas tienen importancia, sentido y objetivo, no sólo para esta vida, sino para la eternidad. ¡Piénsalo! Muchas personas tienen algún propósito en su vida en este momento. Pero la mayoría de estos propósitos son efímeros. No darán total satisfacción, porque no significan nada en términos de eternidad. Para alcanzar su valor máximo, nuestra vida debe contar no sólo en el tiempo, sino también en la eternidad. Hoy día, vemos a tanta gente que no sabe de qué se trata la vida… Andan a tientas, en la oscuridad, sin Cristo, sin rumbo, como un barco sin timón. Si les explicamos que el Señor Jesús es quien satisface nuestra necesidad de dirección y le da un propósito a nuestra vida, puede que se sientan atraídos a Él y que le permitan cubrir su necesidad.

MIEDO A LA MUERTE

Una tercera necesidad que suple el Señor es nuestra falta de antídoto contra el temor a la muerte. Cuando somos jóvenes, la muerte nos parece puramente teórica. No esperamos morir pronto y, por lo tanto, no pensamos mucho sobre esa posibilidad. Pero la muerte puede convertirse rápidamente en una preocupación primaria.

En esta era nuclear, una cantidad asombrosa de jóvenes ha empezado a reflexionar sobre la muerte. Muchos saben muy bien que vivimos al borde de la destrucción. Sólo con oprimir un botón, podríamos desaparecer todos. En un sondeo de opinión que se llevó a cabo en Estados Unidos en 1984, se preguntó cuál de los problemas que aquejaban a la nación parecía ser el más serio. Una mayoría abrumadora de los encuestados afirmó que la principal amenaza de esa década, al igual que para el año 2000, era la amenaza de una guerra nuclear que aniquilara al país.[1] Aunque no siempre lo tengamos presente, el poder destructivo de la bomba se esconde bajo la superficie. No solo es que tenemos la capacidad de destruir la civilización, sino que cualquiera de nuestros enemigos con poder nuclear también la tiene.

Buscamos frenéticamente la manera de evitar la muerte en otros aspectos, reduciendo el consumo de alcohol, cuidando los niveles de colesterol y dejando de fumar. El *New York Times* ha dicho que con estas tres restricciones, un hombre de cuarenta y cinco años podría añadirse once años de vida, y una mujer de cuarenta y cinco años, siete.[2] Además, tenemos otro asesino que aún no hemos logrado controlar: el SIDA. Los jóvenes tienen miedo de contaminarse con el contacto sexual. La gente mayor teme ser infectada por enfermedades que requieran transfusión de sangre. La muerte avanza lentamente como un tren y no la podemos evitar, pero tampoco la sabemos afrontar.

A este mundo temeroso le habla Jesús con autoridad sobre la

---

1   George Gallup, Jr., *Forecast 2000* (NY: William Morrow, 1984), pág. 159.
2   *New York Times,* 2 de enero de 1983.

muerte. En Juan 11:25-26, dice: "Yo soy la resurrección y la vida; el que cree en mí, aunque esté muerto, vivirá; y todo aquel que vive y cree en mí, no morirá jamás." Cuando conocemos a Jesús mediante una experiencia personal, Él nos libera del miedo a la muerte. La muerte deja de ser algo desconocido, pues ahora entendemos que ella es meramente el vehículo que nos abre el paso a la presencia del Dios viviente a quien amamos. Este conocimiento hizo que Pablo exclamara: "¿Dónde está, oh muerte, tu victoria? ¿Dónde, oh muerte, tu aguijón?" (I Corintios 15:55). En vez de temer a la muerte, la esperamos con ilusión sabiendo que es la experiencia más dinámica que tendremos jamás.

Espero que ninguno de nosotros haya sucumbido a la ingenua impresión de que la vida eterna en el cielo consiste en sentarnos sobre nubecitas, cada uno tocando un arpa. Si así fuera, todos acabaríamos terriblemente hartos al cabo de una semana. Evitemos caer en pensamientos tan tontos, porque podemos estar seguros de que el cielo no será un lugar aburrido. No tenemos todos los detalles, porque Dios no ha decidido dárnoslos, pero por lo que sí nos ha dicho, podemos concluir que el cielo será una experiencia dinámica, expansiva y creativa, que trasciende en mucho lo que nuestras mentes finitas pueden comprender. Será la esencia del gozo y de la satisfacción y de la canción. Aunque no entendamos bien lo que será el cielo, anhelamos con pasión estar con nuestro Señor eternamente. De manera que podemos ofrecer a Jesucristo mismo como la solución al problema de nuestro miedo a la muerte.

Sin embargo, mientras no nos hayamos enfrentado concretamente a la posibilidad de morir, no podemos estar seguros de que Cristo nos libera de este temor. Es muy fácil decir que Él lo hace, mientras estás tomando un café con tus amigos después de una deliciosa comida. Otra cosa totalmente distinta es afirmarlo cuando te encuentras frente a frente con la muerte misma.

Situaciones como una operación quirúrgica importante suelen enfrentar a las personas al hecho de morir. Cuando me operaron del corazón a mis veinticuatro años, vi en la profundidad de mi propia experiencia el poder de Cristo de conquistar el temor a la muerte. Esta evidencia fue la mejor consecuencia de mi operación. Antes de eso, siempre afirmaba que los cristianos no le tenían miedo a la muerte, pero no podía hablar desde mi experiencia personal. Cuando vinieron a inyectarme la anestesia el día de la operación, yo era muy consciente de todos los riesgos. Esto sucedió en la época anterior a los aparatos de reanimación y de respiración artificial. Para empeorar las cosas, mi cirujano nunca había hecho esa operación en un adulto. Yo sabía que, con toda probabilidad, saldría bien del quirófano y, sin embargo, ¡había otra posibilidad! Sabemos que en una operación cardiaca, aunque salga bien, el paciente puede morir por uno de tantos detalles que pueden salir mal.

Pues, esa mañana, mientras me llevaban al quirófano, me inundó un gozo y una paz que tenían que haber venido de algo fuera de mí. Jamás lo olvidaré. Si antes pensaba que podría obtener la paz en medio del peligro de muerte mediante el poder del pensamiento positivo, descarté esa idea para siempre. Yo sabía muy bien que no tenía la capacidad de superar esa crisis por mí mismo. El miedo mortal se había adueñado del paciente al lado mío, que entraba para una apendectomía. Si la clave fuera el pensamiento positivo, ese hombre hubiera podido calmarse a sí mismo.

En cuanto a mí, el sonido del *Mesías* retumbaba en mi mente mientras me conducían en la camilla por los pasillos. Cuando las enfermeras me administraban la anestesia, pude hasta bromear con ellas sobre cuánto tiempo tardaría en dormirme. Creo que conté hasta seis antes de quedar inconsciente. Fue maravilloso para mí poder poner a prueba este hecho de la realidad y ver que es la verdad. Y puesto que es verdad, podemos invitar a todo el que esté buscando libertad del miedo a la muerte y animarles a acudir al Señor Jesús y encontrar en Él una solución relevante para su temor.

DESEOS DE PAZ INTERIOR

Otra expresión de necesidad hoy día es el anhelo por la paz interior. Un doctor cristiano en Estados Unidos hizo un sondeo informal durante tres años con sus pacientes. Quería saber qué deseo formularía cada uno si se les asegurara que se cumpliría. El primer deseo del 87 por ciento de sus pacientes fue lograr tener paz en sus corazones, sus mentes y sus almas. El impresionante aumento en ventas de libros religiosos en los últimos años también indica esta necesidad no satisfecha. La gente no tiene paz interior, pero la buscan con urgencia. En su interior, se dan cuenta de que todo en esta vida -los bienes materiales, el poder, el prestigio, la fama- es efímero y se convertirá en polvo. Anhelan esa paz duradera y la satisfacción interna que trascienda a estas cosas pasajeras.

Una vez más, nuestro Señor Jesús en sí mismo suple la respuesta a la necesidad de la humanidad. Su promesa en Juan 14:27 es más que suficiente: "La paz os dejo; mi paz os doy. Yo no os la doy como el mundo la da. No se angustie vuestro corazón, ni tenga miedo."

Su paz es diferente a la paz que da el mundo. La que encontramos en el mundo puede parecer muy real en el momento, pero luego se desvanece. Jesús dijo que no era del mundo (Juan 17:14). Por tanto, Él puede dar una paz que trasciende a este mundo, una paz que es profunda, permanente, eterna. Esta paz arraigada en la mente, el corazón y el alma surge de nuestra relación personal de fe y dependencia en el Señor Jesucristo. Él sólo nos pide que aceptemos su invitación: "Venid a mí todos los que estéis trabajados y cargados, y yo os haré descansar." (Mateo 11:28) La gente pagaría millones de euros si se pudiera comprar el descanso. Pero no está a la venta. El Señor Jesús sólo le da su paz a aquellos que la reciben como un regalo gratuito.

LA SOLEDAD

A pesar de que todos tenemos una necesidad básica de amor y seguridad, la soledad es muy común hoy día. David Riesman, un sociólogo de la Universidad de Harvard, enfatizó esto en su conocido libro *The*

Lonely Crowd.[3] Él señala que muchas personas viven como cascarones en medio de una multitud.

Nuestro Señor se relaciona dinámicamente con esta necesidad en particular, al decir: "Yo soy el buen pastor. El buen pastor su vida da por las ovejas." (Juan 10:11)

Un pastor vigila y cuida a sus ovejas. Nuestro Señor quiso tanto a sus ovejas, que dio su vida por ellas. Más aún, nos da seguridad con sus palabras: "Yo estoy con vosotros todos los días, hasta el fin" y "yo nunca os dejaré ni os desampararé".

Una estudiante de Barnard College en la Universidad de Columbia vino una tarde a visitar a mi esposa cuando vivíamos en Nueva York. La mujer estaba terriblemente sola y sentía, por experiencias pasadas con familiares y amigos, que no podía confiar en nadie. Marie le habló de algunas de las maneras en que Jesucristo respondería a las necesidades en su vida y la mujer la miró con lágrimas en los ojos y preguntó: "¿Quieres decir que Él nunca me dejaría? ¿Que me amará por siempre si me comprometo con Él?" Mi mujer le aseguró que eso era justo lo que le estaba diciendo, y que su experiencia personal, así como la autoridad de las palabras del Señor, confirmaba la fidelidad de Jesús.

¿Alguna vez has sentido que la presencia de Jesucristo disipa tu soledad? Como viajo mucho, con frecuencia me encuentro solo en lugares remotos donde no conozco a nadie. En esos momentos, ha sido maravilloso poder reclamar por fe la realidad de la presencia del Señor y reconocer que siempre estoy acompañado. Es estupendo saber que el Señor Jesús siempre está con nosotros. A veces, cuando pensamos que estamos solos, nos vemos tentados a actuar como no lo haríamos si recordáramos que la presencia de Cristo vive en nosotros. Por otro lado, si reconocemos la luz de su presencia y vivimos en ella, tenemos un elemento de disuasión del pecado y de poder para la vida.

---

3   David Riesman, Nathan Glazer y Reuel Denney, *The Lonely Crowd* (Garden City, NY: Doubleday, 1955).

FALTA DE DOMINIO PROPIO

Muchas personas luchan con su falta de dominio propio: "Acabo haciendo cosas que jamás pensé que me permitiría. Juro que voy a cambiar, pero no lo logro." Cuando los estudiantes se abren y hablan de sí mismos, casi siempre confiesan este problema. Se han involucrado en comportamientos que jamás hubieran imaginado antes de entrar a la universidad. El torbellino de la presión social los ha atrapado y, por más que lo intentan, no pueden escapar. Nuestro Señor responde a esta necesidad prometiendo darnos vida y poder. En Juan 14:6 nos dice: "Yo soy el camino, la verdad y la vida."

Si dependemos de Él, evitando las tentaciones que nos buscamos nosotros mismos y confiando en su poder de librarnos de aquellas tentaciones que vienen sin aviso previo, Él derrama su poder en nuestras vidas y transforma nuestra falta de dominio propio en liberación del poder del pecado. Este poder transformador caracteriza las vidas de muchos que han conocido a Jesucristo. Es más evidente aún en las personas que se han convertido de trasfondos paganos a un estilo de vida radicalmente diferente. Jesucristo ha roto sus cadenas de impulsividad y les ha dado un poder que saben que no proviene de ellos mismos. Esta es una de las maneras más poderosas en las que Jesucristo se muestra necesario para la humanidad de hoy.

NUESTRO PENSAMIENTO NECESITA INTEGRACIÓN

En sus palabras: "Yo soy el camino, la verdad y la vida", nuestro Señor también se dirige a otra gran necesidad que tenemos: la integración de nuestro pensamiento.

Un estudiante de último curso de la Universidad de Wisconsin se acercó a un profesor cristiano que conozco y le contó el siguiente problema: "He acabado mis 144 créditos y me gradúo dentro de dos semanas. Pero siento que me voy de la universidad con una bolsa llena de canicas en mi mano. No veo ninguna relación entre las clases que he tomado. No siento que encajen bien. Son, más bien, como canicas en una bolsa que no tienen ninguna conexión." Este chico no conocía a aquel que es la Verdad- el que es la verdad absoluta, de quien surgen todas las verdades, en quien todas las verdades se interrelacionan y se unen. Todo empieza a ocupar su lugar en Jesucristo a medida que lo comencemos a ver como el que es, decididamente, la única verdad.

Tenemos autoridad como cristianos para hablar de Jesucristo porque Él es la Verdad. No debemos compartir el evangelio sólo en términos pragmáticos, aunque el evangelio sí que es verdaderamente pragmático. No presentamos a Dios como un mayordomo cósmico que satisface todas nuestras necesidades. No decimos que el cristianismo es la verdad porque funciona. No. El cristianismo funciona porque es la verdad. Jesucristo es la Verdad.

Nuestro Señor habló con una autoridad abrumadora cuando dijo: "El cielo y la tierra pasarán, pero mis palabras no pasarán" (Marcos 13:31). El mensaje de Jesucristo tiene un efecto realista y práctico para quienes confían en Él. Con todo, ese es sólo un aspecto del mensaje, no es el mensaje en sí. Nuestro principal mensaje debe ser la verdad revelada de Dios acerca de nuestra necesidad de arrepentimiento y la redención que está disponible a través de Jesucristo. Una vez se ha establecido eso, podemos pasar a relacionar a Jesucristo con las necesidades contemporáneas, mostrando así a la gente que Él es pertinente para ellos en su experiencia personal. Nuestra propia experiencia personal de cómo Jesucristo suple las necesidades específicas ayudará a los demás a ver cuán relevantes y confiables son las promesas de Jesús.

En este corto capítulo, no hemos cubierto todas las necesidades de las personas del mundo actual, ni la provisión específica del Señor para cada una de ellas. Tampoco pretendemos decir que, una vez hemos recibido a Jesucristo, se acaban nuestras luchas. La vida cristiana es una guerra y los dos combatientes, Jesucristo y Satanás, nunca se detienen. La verdad profunda y permanente es que nuestro Señor es el vencedor y nos acompaña en la batalla, y Él hace toda la diferencia.

PREGUNTAS PARA EL ESTUDIO INDIVIDUAL O EN GRUPO

1   ¿Cómo es posible que seamos diligentes al defender la verdad y, a la vez, irrelevantes para quienes nos escuchan?

2   "No decimos que el cristianismo es la verdad porque funciona. No. El cristianismo funciona porque es la verdad. Jesucristo es la Verdad" (pág. 161). Al presentar el evangelio, ¿qué énfasis debemos dar a las necesidades que suple Jesús y al hecho de que es la verdad?

3   El vacío interior, la falta de propósito, el miedo a la muerte, la inquietud, la soledad, la incapacidad de controlarnos. Paul Little usa su experiencia personal para demostrarnos que Cristo puede significar una gran diferencia en estas áreas. ¿Crees que es posible que la gente no se dé cuenta de que tienen necesidades y, por ende, no sepa que necesita la ayuda de Jesús?

4   ¿Cómo podemos acercarnos a la gente que parece tener las cosas bajo control más que nosotros mismos?

5   ¿Puede un no cristiano satisfacer alguna de estas necesidades sin Cristo? ¿Por qué o por qué no?

6   ¿Cómo debe afectarnos esto cuando le presentemos el evangelio a esa persona?

7   Cuando compartimos con los demás que Jesús tiene la capacidad de satisfacer nuestras necesidades, no podemos basarnos solamente en la experiencia de Little. ¿Qué circunstancias de tu propia vida demuestran que conocer a Jesús supone una diferencia?

8   ¿Quién en particular podría beneficiarse de escuchar tus experiencias? ¿Cómo podrías lograr esto?

SUGERENCIAS PARA UN LÍDER DE GRUPO

1 Permite que los participantes compartan cómo pusieron en práctica el estudio de la semana anterior. Podéis discutir por qué lo lograron o por qué fracasaron.

2 Si algunos lo recuerdan, pídeles que identifiquen las mayores necesidades que tenían en sus propias vidas antes de aceptar a Jesús como Señor y Salvador. ¿Fueron esas necesidades lo que, directa o indirectamente, les condujeron a la fe en Dios? ¿Ha satisfecho Jesús esas necesidades?

08 LA MUNDANALIDAD: ¿EXTERNA O INTERNA?

Los cristianos genuinos quieren vivir vidas santas. Santiago nos exhorta a que no nos dejemos contaminar por el mundo (Santiago 1:27). Pablo repite un mandamiento del Antiguo Testamento y nos ordena: "Salid de en medio de ellos, y apartaos, dice el Señor, y no toquéis lo inmundo" (2 Corintios 6:17, citando a Isaías 52:11). Pedro enfatiza el aspecto positivo del mandato divino: "Sed santos, porque yo soy santo." (1 Pedro 1:16). Hoy día muchas personas intentan exhortarnos con estos versículos pero a veces no saben explicarlos correctamente.

NO ES LO MISMO SEPARARSE QUE AISLARSE

Hoy día, nuestro concepto de la santidad está un poco borroso porque pensamos -equivocadamente- que separarnos del mundo implica aislarnos de los demás. Tal vez nos ayude ver la situación con una analogía del campo de la medicina. Cuando se sospecha una posible epidemia de escarlatina, el Centro de Control de Enfermedades procura aislar a todos los portadores del germen y los pone en cuarentena, de manera que la enfermedad no se propague. De igual forma, la mejor manera de evitar que el evangelio se propague es aislar a todos sus portadores (los cristianos) del resto de las personas. ¡Eso no es lo que Cristo quiere para nosotros!

Satanás es quien trata de convencernos de que si andamos en manadas y evitamos todo tipo de contacto innecesario con los no cristianos, no nos contaminaremos con el mundo. Su lógica diabólica nos persuade de que la verdadera espiritualidad implica separarnos totalmente del mundo que nos rodea.

Algunos cristianos me han dicho con gran orgullo que nunca ha entrado un no creyente a su hogar. Con aires de "espiritualidad", se jactan de no tener ningún amigo no cristiano. No me sorprende que nunca hayan experimentado el gozo de traer a alguien a los pies de Jesús.

Si reexaminamos las enseñanzas del Nuevo Testamento, descubrimos que la separación que nos exige el Señor es alejarnos del mal, evitarlo y "no tocar nada inmundo". Pero, si miramos el resto de las enseñanzas en su totalidad, vemos que no puede estar pidiendo que nos aislemos del mundo. Cuando el Señor Jesús oró por nosotros en Juan 17, lo dejó muy claro: "No ruego que los quites del mundo, sino que los guardes del mal" (v. 15). Tras habernos encomendado al Padre para que nos protegiera, les dio a sus seguidores el mandato: "Por tanto, id y haced discípulos de todas las naciones…" porque "me seréis testigos… hasta lo último de la tierra" (Mateo 28:19; Hechos 1:8).

Ahora bien, esta confusión que tenemos entre *separarnos* y *aislarnos* no es un problema nuevo. Parece ser que los corintios del primer siglo luchaban con la misma tensión. A ellos les explica Pablo: "Os he escrito por carta que no os juntéis con los fornicarios. No me refiero en general a todos los fornicarios de este mundo, ni a todos los avaros, ladrones, o idólatras, pues en tal caso os sería necesario salir del mundo. Más bien os escribí para que no os juntéis con ninguno que, llamándose hermano, sea fornicario, avaro, idólatra, maldiciente, borracho o ladrón; con el tal ni aun comáis" (I Corintios 5:9-11).

Los cristianos de Corinto necesitaban comprender, al igual que nosotros, que apartarse de aquellos que no conocen a Jesucristo es, en el fondo, un acto de franca desobediencia a la voluntad de Dios.

A la luz de esto, ¿a qué nos referimos cuando hablamos de algo *espiritual* o *mundano*? La manera en que definimos estos términos afecta profundamente la manera en que vivimos y la impresión que les damos a los nuevos cristianos, especialmente a los que vienen de entornos no cristianos. Además, estos conceptos matizan los consejos que damos a los demás acerca de la santidad, ya sea en nuestro hogar, en la iglesia o en algún otro lugar.

Desafortunadamente, nuestra definición de *santidad* puede traernos conflictos con otros cristianos que sean más estrictos o más liberales que nosotros. Las diferencias radican por lo general en costumbres y prácticas no religiosas que forman parte de nuestra vida. Como siempre, nuestra base debe ser la enseñanza bíblica sobre este tema. Veamos el uso que la Biblia da a estas palabras.

Muchos entienden que la espiritualidad y la mundanalidad son listas de lo que debemos y no debemos hacer. No hemos de degradar el concepto de santidad que Dios exige, rebajándolo al mero cumplimiento de ciertas normas.

MANDAMIENTOS ESPECÍFICOS

La Biblia es muy explícita en presentar, en general, la voluntad de Dios para el comportamiento del cristiano. Por ejemplo: "No matarás. No cometerás adulterio. No hurtarás… No codiciarás…" (Deuteronomio 5:17-21). Estos mandamientos son universales y específicos. Incluyen a todas las personas de todas las culturas en todos los tiempos, y no dejan espacio para la duda o la diferencia de opinión. Si alguien está preguntándole a Dios si debe o no participar en algunas de estas acciones, está perdiendo su tiempo.

Otro ejemplo que también es muy específico, aunque menos conocido, se encuentra en 2 Corintios 6:14: "No os unáis en yugo desigual con los incrédulos". Entre otras cosas, este texto implica que un cristiano no debe casarse nunca con un incrédulo. ¿Conoces a alguien que está orando para saber si debe o no casarse con alguien no cristiano? Puedes decirle que se ahorre el tiempo.

MANDAMIENTOS NO ESPECÍFICOS

Por otro lado, hay áreas en las que Dios no nos ha dado instrucciones específicas. Estas provocan todo tipo de debates entre distintos grupos cristianos, cada cual buscando definir qué cosas son mundanas. La lista de actividades polémicas es casi infinita: las películas, juegos de cartas, bailes, ciertos tipos de música, beber alcohol, frecuentar ciertos lugares y muchísimas otras. No importa cuál sea nuestra lista de prácticas y conductas, hay alguien en el mundo que estará en desacuerdo. La mayoría de estos tabúes no existían cuando se escribió la Biblia y esta, naturalmente, no nos dice nada al respecto.

Además de que no hay un estándar bíblico para muchos de estos asuntos, el problema se agrava cuando tomamos en cuenta las diferencias culturales y geográficas. En algunas zonas de nuestro propio país, es inaceptable entrar a una iglesia con vaqueros puestos. En otras zonas, y en algunas denominaciones, a nadie se le ocurriría impedirle a alguien que escuche la Palabra de Dios por su manera de vestir. Los estándares son muy variados.

Cuando estuve de visita en Europa, me di cuenta de que muchos cristianos franceses tienen la costumbre de beber vino. Su fe no les impide participar de esta tradición cultural. De hecho, muchas de las iglesias de esa nación están rodeadas de un amplio paisaje lleno de viñedos que pertenecen a cristianos y son ellos quienes los administran. Sin embargo, muchos grupos en nuestro país condenarían seriamente a un cristiano que beba aunque sea una gota de alcohol. Algunos incluso le añaden autoridad bíblica a sus convicciones particulares (y puede ser que la Palabra lo justifique en sus situaciones particulares). De ahí, generalizan e intentan legislar su propio código de conducta para todo el mundo. Cuando estas convicciones fuertes se apoderan de la iglesia, se multiplican los grupos nuevos que acogen a los que piensan de la misma forma sobre un tema específico.

¿QUÉ ES LEGÍTIMO?

La controversia sobre qué es lícito en la conducta cristiana tampoco es un problema nuevo. En el primer siglo, Pablo tuvo que amonestar a los romanos y a los corintios sobre este tema. Hablando de la situación en Roma, Pablo esbozó unos principios básicos en Romanos 14. Él se dirigía a una iglesia cosmopolita que incluía creyentes gentiles- algunos de los cuales venían de trasfondos de idolatría pagana y otros que nunca habían adorado ídolos- y también creyentes judíos que valoraban su rica herencia de ceremonias y días sagrados. Jesucristo unió a todos estos creyentes en un solo cuerpo, pero sus diferencias de conducta y de trasfondo provocaron choques y disensión.

Una de las controversias era acerca de la carne. Se trataba de carne que posiblemente había pasado por algún culto idólatra antes de acabar en el mercado. La disputa en Roma debe haber sido similar a la de la iglesia en Corinto, tal como se describe en I Corintios 8:1-13; 10:25-29. Algunos creyentes -probablemente, los judíos cristianos- se comían esta carne sin problema. Supongo que ellos entrarían al mercado pensando: "¿Qué importa si esto se lo ofrecieron a un ídolo inútil? La carne es carne y a mí me gusta."

Los judíos no habían tenido contacto alguno con los usos previos de esa carne. Sin embargo, los demás creyentes, que una vez fueron idólatras, se escandalizaban porque sus parientes comían esta carne. Antes de convertirse, ellos también lo habían hecho como parte de su adoración a los ídolos. Al abandonar la idolatría, también abandonaron la carne. En su mente, era imposible separar estos dos actos. Naturalmente, les molestaba ver a un cristiano comprarla y disfrutar de ella.

La segunda polémica que se produjo en la iglesia de Roma fue la de los días festivos. Se debatía si un cristiano debía observar lo que Colosenses 2:16 llama "días de fiesta, luna nueva o días de reposo", los cuales eran una tradición religiosa judía. En este caso, probablemente eran los judíos quienes no lograban entender que ellos ignoraran los días santos y las fiestas sagradas. Por su parte, a los gentiles les sorprendería que un detalle tan insignificante pudiera molestar a los judíos. Me imagino que se preguntarían: ¿Qué tiene que ver esta ceremonia con el cristianismo? El meollo del asunto es Jesucristo. Nosotros ya lo conocemos. Quedaos vosotros con vuestros días sagrados y vuestras fiestas si queréis. En cuanto a nosotros, no vemos que sean inherentes al cristianismo."

APRENDER A MANEJAR LA CONTROVERSIA

Se aumentó la presión de ambos lados y los dos grupos cometieron el mismo error: concluyeron que sus costumbres y su cultura eran la norma inspirada para el cristianismo. No lograban ver el punto de vista del otro y la división fue creciendo. Las personas emitieron juicio sobre el comportamiento externo del otro bando, sin intentar entender sus motivaciones internas.

¿Te suena familiar esto? ¿Has visto algo parecido en tu vida o tu grupo? Estas polémicas pueden devorar a los cristianos, los distraen de su crecimiento interior en el Señor y les enfría su corazón y su amor por sus hermanos. Ya que la iglesia entera aún vive ataques como estos, es importante que entendamos los principios generales que plantea Pablo en Romanos 14.

1. No juzgues

Pablo nos menciona el primer principio en Romanos 14:3-4, 10-13. "El que come, *no menosprecie* al que no come, y el que no come, *no juzgue* al que come" (v. 3, énfasis añadido).

Pablo pregunta: "¿Tú, quién eres, que juzgas al criado ajeno?" (v. 4). Luego, respalda su argumento con un hecho inmutable: Dios ha recibido a estas personas. Dios es nuestro único Maestro y Juez. No tenemos derecho a exaltarnos para juzgar a los demás. Si la Biblia no es explícita acerca de alguna actividad, no nos corresponde criticar ni condenar a alguien por tener una opinión distinta a la nuestra.

Este principio funciona en dos direcciones. Usemos el ejemplo de una actividad que no entraña controversia, como montar un puzzle. Yo puedo sentir la libertad de hacerlo, pero esta libertad no me da derecho a llamarle 'tonto' o 'aguafiestas' al que decide no jugar. Por otro lado, quizás no tengo la libertad de disfrutar con este pasatiempo. No puedo, por ello, acusar a los demás cristianos de ser mundanos porque les gusta sentarse a montar un puzzle.

Romanos 14:3-4 habla de no *menospreciar* ni *juzgar*. Lo que cuenta es nuestra actitud hacia los otros cristianos. Podríamos eliminar la gran mayoría de nuestros desacuerdos por estos temas, si lográramos manejar nuestras actitudes. La solución no es conformarse. No tenemos que adoptar los patrones de conducta de los demás, pero sí debemos aceptar a los demás y reconocer que ellos se levantan y caen delante de Dios, no de nosotros. Si ellos deshonran o desobedecen a Dios, tendrán que responder ante Él.

2. Deja que la convicción interna moldee la conducta

El segundo principio aparece en Romanos 14:5 y enfatiza nuestra propia responsabilidad delante de Dios: "Uno hace diferencia entre día y día; otro juzga iguales todos los días. Cada uno esté plenamente convencido en su propia mente." Debemos moldear nuestra conducta conforme a nuestra convicción personal y no por la presión social u otra motivación menor. Como cristianos, queremos honrar al Señor Jesucristo al hacer todo lo que le agrade y le glorifique. Por eso, basamos nuestras acciones en la voluntad de Dios para nosotros. Este principio interno se mantiene firme en todo lugar, en toda circunstancia y en todo momento.

Podemos ver en acción este principio en la crianza de los hijos. Si les enseñamos a nuestros hijos toda una lista de cosas que deben y que no deben hacer, sin explicarles el porqué de estas normas, es muy probable que abandonen este estilo de conducta tan pronto se encuentren fuera de la supervisión de los padres. Esto sucede porque ellos no han entendido los *principios* que subrayan en el código de conducta

Los nuevos cristianos son niños espirituales. A veces, tratamos de controlar su conducta y les imponemos el estilo de vida al que estamos acostumbrados nosotros, sin darles oportunidad de descubrir cómo Dios está trabajando personalmente en sus vidas. Cuando hacemos esto, corremos el riesgo de que, cuando ya no estemos acompañándoles de cerca, abandonen todo nuestro sistema de conducta y vuelvan al estilo de vida que llevaban antes de convertirse.

¿Estamos seguros de que nuestro comportamiento está glorificando a Dios? Es la primera pregunta que debemos hacernos. Cuando actuamos o nos abstenemos de actuar por amor al Señor y por convicción, nuestras decisiones dejan de ser una carga y se convierten en un gozo. Siempre y cuando estemos convencidos delante de Dios de que estamos obedeciéndolo, podremos poner en práctica este principio. Es importante que examinemos una y otra vez nuestra propia conducta a la luz del Nuevo Testamento para asegurarnos de estar haciendo la voluntad de Dios.

3. Celebra la vida: es un regalo de Dios

El tercer principio habla del fundamento de nuestra convicción personal. En Romanos 14:8, leemos: "Si vivimos, para el Señor vivimos; y si morimos, para el Señor morimos. Así pues, sea que vivamos, o que muramos, del Señor somos."

Debemos entregarle a Dios la totalidad de nuestra vida, para su gloria. Nuestra vida entera le pertenece a Él- no sólo los momentos que pasamos orando, leyendo la Biblia o testificándole a otros, sino toda nuestra vida. No hay tal cosa como compartimentos separados para lo sagrado y lo secular en la vida del cristiano. Si estudias la Biblia, lo haces para la gloria de Dios. Tu juego de ajedrez debe, igualmente, glorificarlo a Él.

¿Cómo puede alguien jugar al ajedrez para la gloria de Dios? Es sencillo, pero primero debemos reconocer que nuestra vida entera -cada gramo de energía, cada unidad de tiempo, cada céntimo de nuestro dinero y todo lo demás- le pertenece a Jesucristo. Somos sólo sus mayordomos, y Él quiere que manejemos todos los aspectos de nuestra vida con el gozo de saber que todo le pertenece. Hay ocasiones en las que debo jugar al ajedrez en vez de estudiar la Biblia. Hay otros momentos en los que debo leer la Biblia en vez de jugar al ajedrez. Este compromiso nos libera de mucha tensión innecesaria, ya que ahora vivimos continuamente en la presencia de Dios y con la plena intención de honrar a Jesucristo en todo lo que hagamos.

Se ve que a los cristianos a veces les cuesta disfrutar de la vida.

¿Alguna vez te has sentido culpable por haberte comido un jugoso filete que te pareció demasiado delicioso como para ser legítimo? ¿O por haber pasado un estupendo día libre con la familia? No hay por qué sentirse culpable. En 1 Timoteo 6:17, Pablo le recuerda a Timoteo una verdad bíblica maravillosa: que Dios "nos da todas las cosas en abundancia para que las disfrutemos". De hecho, por ser cristianos podemos gozar más plenamente que los demás de todo tipo de deleites. George Robinson escribió en su himno titulado: "Amado con un amor eterno":

Veo los cielos aún más azules
y la tierra, un verde más dulce.
En cada color hay algo especial
que ojos sin Cristo no han visto jamás.

La próxima vez que te sientas incómodo por estar disfrutando algo, rechaza ese sentimiento y deléitate con todas las cosas que Dios te ha dado, con acción de gracias y para su gloria.

Ahora bien, habiendo recibido todos los regalos perfectos de Dios, debemos aceptar también la responsabilidad de mayordomía que ello conlleva. Muchas veces, tendremos que preguntarnos: ¿Debo estar haciendo esto en este momento? En ocasiones, debemos retirar nieve en vez de orar; en otros momentos, hemos de olvidarnos de la nieve y caer de rodillas. Un cristianismo vivo no se limita a los espacios de actividades "espirituales" ni a los días en que estamos en comunión con otros hermanos en la fe. Jesucristo es tan real y dinámico a las cuatro de la tarde de un martes en el laboratorio, la biblioteca, la casa o la oficina, como lo es a las once de la mañana un domingo en la iglesia. Él nos permite caminar por la vida en su presencia, con Él a nuestro lado. Cada aspecto y cada momento de nuestra vida le pertenece a Dios y puede glorificarle.

¿Has logrado entender alguna vez este concepto? ¿O sigues aferrado a una existencia compartimentada? Si insistimos en catalogar mentalmente nuestras acciones en *espirituales* o *no espirituales*, no lograremos vivir una vida cristiana plena, emocionante y dinámica. Por otro lado, si nos apropiamos de la idea de vivir cada momento en la voluntad de Dios y por su gloria, la acumulación de todos esos momentos adquiere peso de gloria y valor para la eternidad.

4. Examina lo que te motiva

El cuarto principio se encuentra en Romanos 14:14: "Yo sé, y confío en el Señor Jesús, que nada es inmundo en sí mismo; mas para el que piensa que algo es inmundo, para él lo es."

Hay muchas cosas que no son malas en sí mismas, pero podemos usarlas de manera incorrecta. La comida es necesaria, pero podemos abusar de ella y de nuestros cuerpos con la gula. El sexo, un maravilloso regalo de Dios, se puede convertir en algo muy sucio y vergonzoso cuando se distorsiona su función. Estas cosas en sí mismas no están mal; el mal radica en la forma en que las usamos. Hay cosas externas que nos pueden dominar y acabamos siendo esclavos de ellas. Es por esto por lo que a Pablo le preocupa nuestra actitud hacia las cosas. Si creemos que a Dios no le agrada una actividad en particular, y aun así nos damos el gusto de hacerlo, caemos en desobediencia. Da igual si otras personas piensan que dicha acción es correcta; lo que importa es la actitud de nuestro corazón.

EL HERMANO DÉBIL

Parte de nuestra actitud hacia las cosas y las acciones debe ser una preocupación por el hermano más débil. No debemos considerar débil a quien no se siente en libertad para hacer lo que nosotros sí hacemos, ni tampoco me refiero a los cristianos dominantes que quieren imponerle a todo el mundo sus listas legalistas de conductas prohibidas. En esencia, los hermanos débiles son cristianos que son inmaduros en su forma de pensar. Por lo general, son cristianos jóvenes que aún no han aprendido a distinguir la acción de la motivación que la impulsó. Un cristiano débil no pregunta: ¿Por qué no debo hacer esto?, sino que juzga la espiritualidad en términos de acciones externas. Probablemente, usa un criterio de evaluación que ha adoptado directamente de su familia o de su iglesia.

Debemos recordar que a Dios le importa el motivo por el cual hacemos las cosas. En Romanos 14:6, Pablo nos decía que el que come, come para glorificar a Dios, y el que no come, se abstiene para glorificar al Señor. Aquí tenemos dos conductas opuestas, pero ambas se llevan a cabo para honrar a Dios. Los hermanos débiles eligen uno de estos dos extremos como la forma correcta de actuar y no se fijan en la motivación que la hace correcta. Si ven a alguien actuando conforme al otro extremo, se ofenden o se confunden o ambas cosas. Deben aprender (y nosotros también) que lo primero debe ser siempre nuestro amor por Jesús y nuestro deseo de honrarlo y glorificarlo. Luego, todo lo que hagamos o dejemos de hacer será consecuencia de eso.

¿Qué hacemos entonces con los hermanos débiles? ¿Ignorarlos y seguir con nuestra vida? Algunos de los cristianos romanos debían estar pensando de esa manera y concluyendo: ¿Para qué molestarnos, si sólo son inmaduros? Pablo fue enfático en amonestarles: "Si por causa de la comida tu hermano es entristecido, ya no andas conforme al amor" (v. 15). Nosotros, los que supuestamente somos más maduros y sabemos que no hemos de juzgar la espiritualidad por actos externos, también debemos ser lo suficientemente maduros como para amoldarnos a favor de nuestros hermanos que aún no entienden.

Por amor a Dios y por el amor que Él nos ha dado hacia nuestros hermanos, debemos tomar la firme decisión de no entristecer ni hacer tropezar a nadie por asuntos secundarios como estos. En 1 Corintios 8-10, Pablo trata acerca de nuestra responsabilidad hacia los hermanos débiles. (Si te interesa el tema, puedes meditar sobre el 8:10-13; 9:19-23; 10:23-33.) Pablo mismo había tomado la decisión: "Si la comida le es a mi hermano ocasión de caer, no comeré carne jamás, para no poner tropiezo a mi hermano" (1 Corintios 8:13). Lo que está en juego no es nuestra libertad personal, sino el reino de

Dios. Y el reino de Dios tiene que ver con asuntos más profundos que si debemos o no comer carne u observar las fiestas religiosas, y que nuestras versiones modernas de estas controversias. Romanos 14:17 lo resume perfectamente al decir que "el reino de Dios no es comida ni bebida, sino justicia, paz y gozo en el Espíritu Santo".

Es lamentable y sorprendente la cantidad de tiempo y esfuerzo que se ha invertido en discusiones sobre las diferencias de opinión acerca de acciones externas. Fácilmente, nos dejamos desviar de una vida cristiana positiva y dinámica. ¡Hay que evitar esto a toda costa! Cuando veamos que se está desarrollando una división espiritual profunda, debemos estar dispuestos a sacrificarnos y adaptarnos a los hermanos débiles para ayudarles a entender lo que significa el reino. A la vez, no les debemos dejar creer que tienen derecho a imponer sus patrones de conducta sobre los demás. Podemos ayudarles a madurar mediante nuestro consejo. Ese era el propósito de Pablo al escribir a las iglesias en Roma y en Corinto. Les ayudó a ver que su énfasis en lo externo era inmaduro y que debían trascender a una perspectiva más amplia. Les animó, además, a desarrollar una actitud más permisiva y compasiva hacia los cristianos cuya conducta era distinta a la de ellos.

Hace unos años, en una conferencia estudiantil en Nueva Jersey, me enfrenté directamente con este problema. Conocí allí a un hombre que literalmente adoraba al béisbol antes de ser cristiano. Era su obsesión. Trabajaba como una mula todo el invierno para poder estar completamente libre del trabajo durante los meses de verano y atender a su dios. Durante doce años, no se perdió ni un solo partido del equipo de su ciudad. Se conocía de memoria los promedios de bateo de todos los jugadores desde el 1910. No hacía otra cosa que no tuviera que ver con el béisbol. Vivía exclusivamente por su deporte favorito. Cuando conoció a Jesús, abandonó su ídolo, entregándolo a los pies de Jesús.

Cuando se acercaba el final de la conferencia, que fue bastante agotadora, este hombre me escuchó comentarle a Fred, otro conferenciante: "Oye, cuando se acabe la conferencia ¿qué te parece si vamos al estadio a ver el partido de los Phillies? Hoy juegan contra St. Louis." El hombre, desconcertado, nos interrumpió y me preguntó: "¿Cómo puedes ir a un partido de béisbol siendo cristiano?"

He escuchado muchísimos tabúes en los diferentes círculos cristianos, pero ¡nunca había oído que se prohibiera el béisbol! En ese momento, fui yo quien quedé perplejo y no supe qué responder. Él volvió a preguntar: "¿Cómo podéis llamaros cristianos y luego ir a un partido de béisbol?"

Fred y yo nos pusimos a pensar y a discutir la situación. Cuando hablamos con el hombre, descubrimos su problema. Él era como los cristianos gentiles en Roma, pues había sido idólatra; el béisbol había supuesto algo importantísimo para él. El hombre había llegado a la conclusión de que cualquiera que fuera a ver un partido (como comer carne), independientemente de sus intenciones, estaba adorando al béisbol como a un ídolo.

Fred y yo cancelamos nuestros planes de ir al partido para no hacer tropezar a nuestro nuevo amigo, quien se encontraba en una etapa sensible de su vida cristiana. Además, estuvimos conversando un largo rato con él y le aplaudimos su compromiso total de agradar al Señor. Creo que, en algún momento de la conversación, él entendió que el béisbol no es un problema para todos los cristianos. Sin embargo, por su trasfondo, él sabía que el béisbol probablemente sería una tentación peligrosa para el resto de su vida. También se dio cuenta de que no tenía derecho de imponer su norma a los cristianos que no tenían ningún problema con el deporte. Nos animó bastante ver cómo este hombre empezó a madurar y a cambiar sus actitudes.

Tenemos una responsabilidad con nuestro hermano débil. El principio bíblico no nos da licencia para ignorarlos y hacer lo que queremos, pensando: "Están mal; son ingenuos; seguro que no van a estar de acuerdo; yo paso de ellos." La Biblia tampoco nos llama a moldearnos al código moral de otra persona sin haber hecho nuestra propia investigación y búsqueda espiritual.

Más bien, el principio bíblico nos exhorta a examinar nuestras motivaciones: ¿Estoy haciendo esto y absteniéndome de aquello por amor a Jesús y por mi deseo de honrarlo y glorificarlo? ¿O realmente lo hago por un prejuicio cultural que se esfumaría si estuviera en otro grupo social o cultural?

Una vez hemos establecido cuáles son nuestros verdaderos motivos, nos toca entonces decidir qué actitud tomar hacia cada actividad específica. Esto es difícil cuando la Biblia no nos presenta una postura explícita en cuanto a la actividad en cuestión.

Hemos visto que muchos de los asuntos secundarios de la conducta cristiana se hallan en un 'área gris' de relatividad. Lo que es correcto para ti puede que sea incorrecto para mí. Pablo nos ofrece nuevamente un consejo específico y nos dice cuál debe ser la dirección que usemos para distinguir: la duda. Veamos:

> "Yo sé, y confío en el Señor Jesús, que nada es inmundo en sí mismo; mas para el que piensa que algo es inmundo, para él lo es. ... ¿Tienes tú fe? Tenla para ti mismo delante de Dios. Bienaventurado el que no se condena a sí mismo en lo que aprueba. Pero el que duda sobre lo que come, se condena a sí mismo, porque no lo hace con fe; y todo lo que no proviene de fe, es pecado." (Romanos 14:14,22-23)

Una vez que mi amigo, el del béisbol, hubiera entendido la situación, no estaría mal que yo fuera al partido de béisbol para relajarme. Sin embargo, para él seguiría siendo incorrecto, porque en su caso hay duda y otros dilemas morales.

UNA PAUTA GENERAL

A mí me ha ayudado la siguiente pauta: Si tienes duda sobre la legitimidad de alguna actividad, no la hagas. Si, por el contrario, tu conciencia está tranquila delante de Dios y la actividad se puede llevar a cabo para su gloria, sin confundir a nadie en el proceso, hazlo con gozo. Disfrútalo. Sé feliz y agradece lo que Dios te haya dado. Este es el principio claro que nos da Pablo.

Por supuesto que siempre hay quienes malinterpretan esto y abusan de su privilegio de libertad personal, usándolo como licencia para hacer todo lo que les apetece. Este tipo de conducta va en contra de todo lo que dice Pablo en este pasaje. Siempre me causa recelo la gente que hace ostentación de su conducta diferente para demostrar cuan "libres" son. Esto no es una actitud de santidad. No han comprendido para nada la intención de Pablo.

Cuando dedicamos la totalidad de nuestra vida a glorificar a Dios, el amor por los demás cristianos controla todo lo que hacemos. Después de la ceremonia de bodas, el novio no le dice a su amada mujer: "Bueno, pues ya nos hemos comprometido y la ceremonia se acabó. Voy a salir a pasármelo bien. ¡Hasta luego!" El amor que en un principio unió a las dos personas sirve como base para su matrimonio. Ya que se aman, querrán hacer todo lo que puedan para agradarse el uno al otro. Es muy doloroso cuando uno de los dos se da cuenta de que ha molestado o lastimado a su pareja. El amor los obliga.

Agustín lo dijo bien en su declaración clásica: "Ama a Dios y haz lo que te plazca." No estaba sugiriendo la compartimentación de nuestra vida. Una actitud de: "mis pecados son perdonados; ahora puedo vivir como el diablo" indica que la persona no conoce el amor de su Padre celestial y de su Salvador crucificado.

Por otro lado, una expresión de amor por el Señor Jesucristo y un anhelo de vivir completamente para gloria suya son evidencias de una vida nueva en Cristo. Cuando esta motivación dirige nuestra libertad personal en Cristo, es verdaderamente una libertad maravillosa que glorifica a Cristo, nos permite disfrutar y trae consuelo y edificación a los demás.

LA MUNDANALIDAD: COMPLACER NUESTROS CAPRICHOS

Decididamente, la mundanalidad es una actitud de autocomplacencia. Puede reflejarse de muchas maneras, pero más que una serie de patrones de conducta externa, es una actitud interna. La manifestación más común y sutil de la mundanalidad entre los cristianos es el orgullo. Las personas más mundanas del mundo pueden estar agazapadas tras una careta de santidad. Tal vez se abstienen de todas las cosas y acciones que consideramos "mundanas", pero eso no garantiza que sean espirituales. Son mundanos, porque su preocupación principal es su propia comodidad, su propio prestigio, su propia prosperidad material; en fin, se preocupan sólo por ellos mismos.

La verdadera espiritualidad es ver todas las cosas desde el punto de vista de Dios y dejarse guiar siempre por sus estándares morales y su voluntad revelada. Nuestra actitud y oración es que todo lo que digamos y hagamos glorifique a Jesucristo, quien nos amó y se entregó a sí mismo por nosotros.

PREGUNTAS PARA EL ESTUDIO INDIVIDUAL O EN GRUPO

1   En el siglo pasado, una universidad cristiana se jactó de lo siguiente: "Ubicada a sesenta millas de cualquier clase de pecado." Ese recinto no sólo tendría que estar aislado, ¡debía estar despoblado! Si el aislarnos de personas que no son cristianas no resuelve el problema del pecado, ¿por qué algunos cristianos lo intentan?

2   Paul Little asevera: "Los cristianos de Corinto necesitaban comprender, al igual que nosotros, que apartarse de aquellos que no conocen a Jesucristo es, en el fondo, un acto de franca desobediencia a la voluntad de Dios." (p. 166). En vez de eso, ¿qué es lo que Jesús quiere que hagamos? ¿Por qué?

3   ¿Cuál es la diferencia entre *aislamiento* y *separación*?

4   A menudo, es más difícil para los cristianos lidiar con las diferencias morales de otros cristianos que con las de personas que no son cristianas. ¿Cómo afecta este aspecto del capítulo al hecho de que somos embajadores de Cristo?

5   Romanos 14:1-4 implica que los cristianos no debían tener un código de conducta uniforme en lo que respecta a asuntos secundarios. Sin embargo, ¿qué acciones y actitudes menciona el apóstol Pablo como aplicables a todos los cristianos?

6   ¿En qué actividades puede que otros te consideren el "hermano débil"? ¿Cuándo eres el "hermano fuerte"?

7   Con el propósito de adquirir experiencia en el manejo de ciertas "áreas grises", decide cómo actuarías en las siguientes situaciones hipotéticas. Utiliza las siguientes preguntas guía:

   • ¿Qué harías en esa situación?

   • ¿Cómo te sentirías si un amigo cristiano criticara tu actuación?

   • Si un amigo cristiano estuviera en la misma situación y

actuara de manera contraria a ti, ¿cómo te sentirías y qué deberías hacer?

Situación hipotética 1: Podemos sobrevivir sin un nuevo sistema de música, pero ciertamente enriquecería la belleza y comodidad de nuestro hogar. Sé que podría enviar el dinero a misioneros o a nuestra iglesia. ¿Me puedo sentir justificado para comprar el nuevo sistema de música?

Situación hipotética 2: Tengo que hacer mi tarea el domingo. Siempre nos dan tareas más fuertes durante el fin de semana y ocupo mis sábados haciendo trabajo para mi iglesia. No estoy deshonrando a Dios al hacer mi tarea el domingo, ¿o sí?

Situación hipotética 3: Mi mejor amigo está molesto conmigo porque me niego a boicotear una tienda que, a su entender, vende pornografía. (Resulta que esa tienda también cuenta con los precios más baratos.) Él dice que no ocurrirá nada a menos que se una toda la comunidad. ¿Debo boicotear mi tienda de descuentos favorita? Si no lo hago, ¿se arruina mi testimonio frente a mi amigo?

8 Paul Little ofrece esta pauta general: "Si tienes duda sobre la legitimidad de alguna actividad, no la hagas. Si, por el contrario, tu conciencia está tranquila delante de Dios y la actividad se puede llevar a cabo para su gloria, sin confundir a nadie en el proceso, hazlo con gozo." ¿Hay alguna situación esta semana en la que puedas poner en práctica ese consejo?

SUGERENCIAS PARA UN LÍDER DE GRUPO

1   Permite que los participantes compartan cómo pusieron en práctica el estudio de la semana anterior. Podéis discutir por qué lo lograron o por qué fracasaron.

2   Indaga si el grupo desea discutir alguna situación a la que se hayan enfrentado. Puedes analizar los dilemas utilizando las mismas preguntas presentadas en la Pregunta 7.

09   VIVIR POR FE

La fe es la clave para tener una verdadera experiencia cristiana. Aceptamos la doctrina de que somos salvos por fe: sólo a través de la fe venimos a Jesucristo y le aceptamos en nuestras vidas como Señor y Salvador. Pero, muy frecuentemente, olvidamos que la fe debe permanecer diariamente como el principio operacional de nuestras vidas.

Tenemos la tendencia de cambiar el "chip" en nuestro pensamiento –un "chip" subconsciente, quizás, pero devastador. Después de comenzar nuestra vida cristiana por fe, tratamos de vivirla a través de las obras. Y aunque conocemos que la salvación no puede ganarse mediante obras, a veces pensamos que debemos ejercer nuestra vida cristiana a través de actos. La idea es falsa. La misma fe que nos introdujo a una vida en Jesucristo debe seguir operando durante el transcurso de nuestras vidas cristianas. El objetivo de nuestra fe sigue siendo el mismo: Jesucristo el Señor.

DESEAR A CRISTO, NO UNOS PAQUETES

Las Escrituras nos presentan claramente a Jesús como el objeto constante de nuestra fe. Me gusta la traducción de 1 Corintios 1:30 de la Versión Estándar Revisada en el que Pablo nos recuerda: "Él [Dios] es la fuente de vuestra vida en Cristo Jesús, a quien Dios convirtió en nuestra sabiduría, nuestra justicia, santificación y redención." Jesucristo debe ser nuestra sabiduría; Él es nuestra justicia, santificación y redención. Pedro hace una declaración aún más dramática acerca de nuestro Señor en 2 Pedro 1:3: "todas las cosas que pertenecen a la vida y a la piedad nos han sido dadas por su divino poder, mediante el conocimiento de aquel [Jesucristo]."

¿Entendiste eso? Porque conocemos a Jesús (quien nos ha llamado por su gracia), tenemos todo lo necesario para la vida y la piedad. Él nos lo ha dado por su divina gracia. ¿Te das cuenta de que, por haber recibido a Jesucristo como tu Señor y Salvador, en este momento tienes *todo lo necesario* para una vida de piedad y santidad?

Casi todos nosotros pedimos a Dios ciertos regalitos—al menos, yo lo hago. Decimos: "Señor, necesito más amor" o "Necesito más gozo, Señor. Y necesito más paz mental también." Necesitamos más de esto y más de aquello. Pero Dios no nos provee un paquete de amor o de gozo o de paz. Si lo hiciera, seríamos tan tontos, que pensaríamos que son logros nuestros y nos jactaríamos: "¿Ves cómo amo a la gente? Sólo mira el poder que tengo en mi vida. Ah, y no te olvides de mirar también mi paz mental." No, Dios sabe más que eso. Él nos ha dado todo lo que necesitamos en nuestro Señor Jesucristo.

Una vez lo hemos recibido en nuestra vida y hemos establecido una relación personal con Él, tenemos todo lo que Dios nos va a dar. Todo, absolutamente todo lo que necesitamos en este momento lo tenemos en Jesucristo, listo para que nos apropiemos de ello si queremos. ¡Y Jesucristo vive dentro de nosotros! A medida que oramos en fe cada día, Él nos imparte todo lo que entiende necesario para nosotros.

Pero, ¿cómo se convierte en realidad esta aseveración teórica? ¿Cómo buscamos en el Señor por fe para luego experimentar la realidad de esa fe? ¿Cuáles son los ingredientes necesarios que deben caracterizar nuestra vida cristiana? ¿Cómo podemos mantener una fe genuina en Jesucristo?

¿ES AUDIBLE LA VOZ DE DIOS?

Para empezar, debemos saber qué es lo que estamos buscando. Todos hemos conocido a personas no cristianas que nos dicen, "Yo creería en Dios, si tú me lo pudieras probar." Las veces que les he preguntado "¿Qué aceptarías como prueba?", han vacilado.

Nunca se han puesto a pensar qué es lo que están buscando. No reconocerían la evidencia, aunque estuviera delante de sus narices.

Es posible que, en nuestro contacto personal con Dios, tengamos el mismo problema. No tenemos muy claro qué es lo que estamos buscando. ¿Estamos esperando la experiencia que tuvo otra persona, quizás una voz del cielo? Posiblemente, un amigo nos haya dicho: "Dios me habló…" y nosotros exclamamos: "¡Eso es estupendo!" Pero luego pensamos: "Dios nunca me habla a mí. Me pregunto por qué nunca escucho voces. Quizás es que estoy mal."

Es fácil malinterpretar las expresiones de los demás. Nos confundimos y, sin saber qué es lo que buscamos, tratamos de experimentar sus vivencias. Cuando pensamos que debemos tener éxtasis que nos hagan saltar o girar como un trompo, nuestro concepto de la fe pierde su equilibrio. Pronto empezamos a frustrarnos.

Yo no escucho una voz audible cuando Dios me habla. Yo escucho su Palabra. Al leer la Biblia cada mañana, ¿no has notado que el pasaje que estás leyendo es un mensaje que Dios te está enviando para ese día? ¿Has sentido alguna vez que Dios te está hablando directamente a través de su Palabra? ¿Has experimentado la paz de Jesucristo en momentos de crisis? Todos estos son ejemplos de contacto personal con Dios.

¿Hay algo en tu vida que es distinto simplemente porque Jesucristo está en ella? Esa diferencia es el resultado de una relación genuina con Dios. Detente un momento y pregúntate dónde estarías hoy si nunca te hubieras encontrado con Jesucristo. Es posible que encuentres más evidencia objetiva de la obra de Jesucristo en tu vida que lo que hubieras imaginado.

Por fe, conocemos que Jesucristo es real. Por fe, lo reconocemos como alguien más real que algunos miembros de nuestra familia. Por fe, podemos "practicar Su presencia"; es decir, podemos aprender a reconocerlo como una persona que está constantemente con nosotros. La omnipresencia es, sin duda, un atributo de Dios. Es un hecho que los cristianos aceptan, pero que pocos viven. Podemos aprender a pensar en Él en situaciones concretas, a ser conscientes de que

Él está con nosotros en todo momento y en todo lugar, y a recordar que todos sus recursos están siempre a nuestra disposición. Si así lo hacemos, encontraremos en Él una fuente inagotable de todo lo que necesitamos.

TENTACIONES

Jesucristo es lo único que necesitamos. Imagínate que estás en una situación de tensión, a punto de perder la compostura. No puedes soportar por un minuto más a ese compañero de piso. ¿Qué haces? En este preciso momento, puedes acudir a Jesucristo en fe y decir: "Señor, no puedo amar a este tío tan pesado. No tengo la capacidad. Sólo tu amor lo puede lograr. Ámalo a través de mí." Al reconocer tu carencia, puedes venir a Jesucristo por fe en el momento de necesidad.

Para algunos de nosotros, la palabra *tentación* sólo nos sugiere una cosa: la impureza sexual. El pecado sexual ciertamente es una tentación que debemos enfrentar, pero hay muchas otras cosas que también nos tientan, como el impulso de insultar o herir a alguien con sarcasmo. Los cristianos tendemos a ser mucho más susceptibles a los pecados del espíritu que a los actos externos ilícitos. Quizás podemos darnos el lujo de no preocuparnos demasiado por aquellas tentaciones externas que no nos molestan, pero debemos estar mucho más alerta ante las tentaciones internas que surgen todo el tiempo. El Señor está esperando que le pidamos: "Señor, necesito tu paciencia porque soy impaciente. Las presiones me están desanimando y no tengo la capacidad de luchar contra ellas. Gracias por vivir en mí y por estar dispuesto a regalarme tu paciencia. Por favor, hazlo ahora en mi vida."

Debemos cortar de raíz las tentaciones que están dirigidas a nuestros pensamientos. Estoy seguro que ya has escuchado esta vieja frase, pero vale la pena repetirla: "No puedes evitar que las aves vuelen sobre tu cabeza, pero sí puedes evitar que hagan nidos en ella." Tan pronto seamos tentados con un pensamiento impuro, injusto o malicioso, necesitamos tornarnos inmediatamente hacia Jesús y decirle: "Señor, no tengo el poder para vencer esto. Dentro de mí, lo que hay es una respuesta miserable hacia el mal. Pero *tú* tienes el poder. Acudo a ti para que derrames tu poder en mi vida."

En vez de mirar a Jesús para obtener la victoria, algunos hemos intentado luchar contra la tentación misma. Esto es lo que nos derrota. Supongamos que yo te digo: "Durante los próximos cinco minutos, no pienses en elefantes blancos." Por más que lo intentes, no lo lograrás. Al tratar de no pensar en elefantes blancos, acabas concentrándote en ellos.

Necesitamos mirar más allá de la situación tentadora y ver a Jesús. "Señor, tú eres la fuente del amor. No puedo amar a esta persona (de hecho, casi la detesto), pero tú sí que puedes. Ayúdame." Jesucristo es todo lo que necesitamos. En vez de ofrecernos más paquetes de amor, paz, pureza o poder, él se ofrece a sí mismo, una persona viva. Honestamente, ¿qué pensamos sobre su oferta?

¿Qué significa Jesús para nosotros? ¿Es meramente una serie de datos en un pedazo de papel o es una persona viva? Seamos conscientes de ello o no, Jesucristo vive dentro de nosotros a través del Espíritu Santo. Si no te das cuenta de esto, por supuesto que Él no significará nada para ti. Cuando de pronto te penetra la verdad de que Él está vivo, la experiencia te revoluciona la vida. La vida de fe, día a día, es sólo una continuación de nuestro reconocimiento del Cristo vivo y resucitado.

NO LUCHAR, SINO MIRAR

A veces somos derrotados porque perdemos demasiado tiempo en el afán de preguntarnos si nuestra fe es lo suficientemente fuerte. Satanás nos ha hecho tomar el rábano por las hojas. Hudson Taylor, el misionero, tuvo que aprender esta verdad y nosotros también debemos hacerlo. Él describió su difícil situación (y la nuestra) en una de sus cartas: "Siempre he estado convencido de que todo lo que yo necesito se encuentra en Cristo, pero la pregunta práctica era: ¿cómo lo obtengo? … Me di cuenta de que el único requisito era la fe, pero yo no tenía esta fe."[1] Un día recibió una carta de un amigo que le mostró la solución: "¿Cómo fortalecer la fe? No tienes que luchar por la fe, sino descansar en Aquel que es fiel"[2], "mirar a Aquel que es fiel."[3]

Lo que merece nuestra atención no es la fe en sí, sino el objeto de nuestra fe. No debemos permitirnos estar tan absortos con nuestra fe, que ignoremos al objeto que la determina. Mira a Jesucristo. Dicen que, si tienes una fe fuerte en un puente débil, acabarás en el agua, pero, si tienes una fe débil en un puente fuerte, llegarás al otro lado. Tienen razón.

La fe se aferra a los fundamentos de la vida cristiana y vive a la luz de ellos. Esto no siempre es fácil. Hay días en que llega la depresión y te sientes angustiado. ¿Cómo puedes salir del hoyo? La solución no es meditar sobre tu depresión y sobre todas las cosas terribles que han sucedido. Siéntate y reflexiona, en vez, sobre Jesucristo y sus maravillosos hechos: quién es Él, qué ha hecho en la historia, qué ha hecho en tu vida. Recuerda que Él es el gran sumo sacerdote; imagínatelo entrando a la presencia de Dios para interceder a favor tuyo: compasivo, capaz de rescatarte por completo. Date el gusto de meditar sobre Él por unos diez o quince minutos y acabarás cantando, casi inconscientemente.

Nuestra comunión personal diaria con el Dios vivo es vital, indispensable. Cuando llevamos tiempo sin estar a solas en la presencia de Dios, nos cuesta apartar la mirada de nuestros problemas. Inténtalo ahora mismo. Medita sobre lo que Dios ha hecho en Jesucristo, en ese regalo incomparable de Dios para ti. Verás como Él te eleva más allá de tu propia realidad y circunstancias.

Las oraciones de la Biblia, en su mayoría, siguen el siguiente patrón: las personas se recuerdan a sí mismos quién es Dios y todo

---

1   Mrs. Howard Taylor, *Hudson Taylor's Spiritual Secret* (Chicago: Moody Press, 1955), pág. 160. Recomiendo esta breve biografía del fundador de "China Inland Mission" para su lectura y re-lectura.
2   Ibid., pág. 161.
3   Ibid., pág. 156.

lo que Él ha hecho, y luego, pasan a orar por sus propias situaciones. A veces, comenzaban por la creación y recordaban lo que Dios había hecho con Israel o con Elías. Iban aumentando en comunión y confianza hasta que finalmente rogaban: "Señor, aquí estamos. Danos valor y sabiduría para afrontar esta situación."

Necesitamos recordar constantemente las misericordias de Dios en nuestra vida. Los cristianos tenemos una memoria muy corta cuando se trata de nuestras experiencias con Dios. Recordar lo que Dios ha hecho en el pasado aumenta nuestra confianza para enfrentarnos a los problemas nuevos. Estoy convencido de que estos recordatorios concretos del amor, la sabiduría y el poder de Dios pueden convertirse en ese escudo de la fe que el apóstol Pablo nos exhorta a tomar, para poder apagar todos los dardos de fuego del maligno (Efesios 6:16).

¿Cuáles son esos dardos de Satanás? No se refiere solamente a los pecados explícitos y evidentes, sino a esas dudas, esos temores, esas fantasías secretas que no hemos revelado a nadie.

DIOS TIENE EL CONTROL

La fe reconoce que Dios tiene el control de mi vida y que entiende cada uno de los problemas dolorosos que me busco o me encuentro. Además, lo crea o no, lo cierto es que Dios tiene el control del mundo. Si no lo creo, me estoy negando el placer de saberlo. Por otro lado, si medito sobre este hecho y me apropio del mismo, mis temores acerca del futuro ya no tienen razón de ser.

La experiencia demuestra esto. Casi siempre que viajo para dar mis conferencias, lo hago en avión. Muchas veces, mi esposa escucha noticias de accidentes aéreos justo cuando me toca salir a uno de mis viajes. Estas noticias nunca nos alientan mucho. De hecho, probablemente cancelaría mi vuelo si no tuviera la certeza de que mi vida está en las manos de Dios, que mi familia también está en sus manos y que nada nos sucederá por casualidad. Algunas personas -los que no tienen certeza alguna acerca de su futuro- se ponen muy nerviosas durante el vuelo en un avión. Dios me ha ayudado a mantener la paz en circunstancias como esa. La realidad es que cada persona, o tiene fe en el cuidado de Dios, o no la tiene. Y la aseveración de que Dios tiene el control, o es cierta, o no lo es. De no serlo, mejor sería olvidarse de Dios. Pero, si es cierta y aceptamos la revelación que Dios nos ha dado de sí mismo, nuestra fe nos permite disfrutar de la certeza de su providencia y descansar en la misma.

La fe nos aporta una perspectiva de vida totalmente nueva y asombrosa. La fe reconoce el control soberano de Dios, pero no es fatalista. El fatalismo se somete a una fuerza ciega e impersonal sobre la cual los seres humanos no tienen control alguno. La fe en la providencia de Dios cede voluntariamente a un Padre celestial amoroso que cuenta los cabellos de cada cabeza humana y cuida incluso de los pajarillos. La idea de fe está muy alejada del concepto del fatalismo, y en esa diferencia hay gran consuelo.

Eso sí, la fe se enfrenta a grandes desafíos. El doctor Edward Carnell compara al cristiano con un físico que observa un espectáculo de magia. Cada truco que al mago le sale bien amenaza la fe del físico en la ley de la uniformidad. Quizás confiese que lo que ha visto le ha desconcertado, pero no renuncia a su fe porque sabe que la ley de la uniformidad depende de fundamentos científicos, no personales.

De igual forma, la fe de los cristianos se fortalece cuando mantienen la mirada siempre puesta en las promesas de Dios y no consideran "las dificultades en el camino de las cosas prometidas, sino el carácter y los recursos del Dios que ha hecho las promesas"[4] (ver Romanos 4:20). Esto es justo lo que hizo Job en respuesta a las burlas de su esposa, cuando todo parecía indicar que Dios le había abandonado a un sufrimiento espantoso. Ella le dijo que no fuera idiota, ¡que maldijera a Dios y se muriera! Mas Job declaró: "Aunque él me mate, en él esperaré" (Job 13:15).

Habacuc estaba desconcertado por los sucesos de su época.

---

4   Edward J. Carnell, *The Case for Orthodox Theology* (Philadelphia: Westminster Press, 1959), pág. 31.

Judá estaba en una total ruina moral y Dios no estaba juzgando al pueblo. Cuando el profeta le preguntó a Dios por qué, el Señor le respondió: "Voy a usar a Caldea para castigarlos." Esta explicación fue aún más dura para Habacuc, pues Caldea era más malvada que Judá.

Habacuc tuvo que aprender a mirar a Dios desde una perspectiva más amplia, tomando en cuenta también el futuro. Sólo de esa forma podía él afirmar con confianza que, aunque no viera ninguna manifestación externa del poder y la presencia de Dios, aun así confiaría en Él. Dijo: "Aunque la higuera no florezca, ni en las vides no hay frutos… con todo, yo me alegraré en el Señor, y me gozaré en el Dios de mi salvación" (Habacuc 3:17-18). Lo que vemos aquí es fe, no pensamiento positivo. La fe reconoce las realidades que han sido ya reveladas en el Señor Jesucristo; la fe se aferra a ellas y vive a la luz de estas realidades.

FE DIARIA

Vivir por fe es una experiencia diaria. El maná que sobró de ayer no nos satisface hoy. Debemos continuar en la presencia de Dios todos los días. En cuanto a esto, no hay debate. Es un hecho sencillo, pero profundo y crucial para nuestras vidas con Dios.

Tal vez has oído hablar de George Mueller, el fundador de orfanatos en Inglaterra, quien, como hombre de fe, nunca anunció públicamente sus necesidades, sino que confiaba en que Dios le supliría las mismas. De la vida de George Mueller aprendí una lección valiosa y reconfortante en cuanto a nuestro caminar diario con Dios. Yo tenía la creencia de que había "algo" -que no sabía lo que era- que los cristianos debían adquirir, y que, en cuanto consiguieran ese "algo", todos sus problemas terminarían. Siempre verían brillar el sol, escucharían los pájaros cantar y se sentirían con deseos de saltar de alegría. Pero hasta el mismo George Mueller admitió: "Reconozco que mi mayor necesidad ante Dios y el hombre es hacer que mi alma esté alegre delante del Señor cada día antes de salir y ver a las demás personas."

La palabra clave de George Mueller era "hacer". Su alma no

estaba siempre contenta al despertar. Se debe haber sentido como yo cuando suena mi despertador. ¿Conoces esa terrible sensación de fastidio cuando te despiertas y comienzas a recordar todos tus problemas? Estoy seguro de que él conocía esa sensación. Como primera tarea del día, Mueller iba a la presencia de Dios para meditar hasta que su alma se alegrara en el Señor. Sólo entonces se enfrentaba a su día.

La vida cristiana no es un asunto completamente pasivo. Yo prefiero que se le describa como una "batalla victoriosa" en vez de "vida victoriosa", porque esta última puede dar la falsa impresión de que los cristianos no tienen problemas. Sin duda, hay lucha; nosotros también vivimos en el mundo real. Mi lectura del Nuevo Testamento y mi propia experiencia lo confirman. La vida es una batalla, pero es una gran batalla victoriosa, cuando, por fe, ponemos diariamente nuestra confianza en el Dios de Habacuc, de George Mueller y de otros que no perdieron de vista el carácter y la fidelidad de Dios y estuvieron dispuestos a pelear las batallas de Dios.

Creo que, en ocasiones, hemos complicado demasiado la llamada "vida cristiana victoriosa", el "ser llenos del Espíritu Santo" o como quieras llamarlo. Algunos pensarán que soy ingenuo, pero he leído todos los libros que he encontrado sobre este tema y he escuchado decenas de charlas. Por ahí se promueve una gran cantidad de fórmulas. De mi lectura del Nuevo Testamento y mis conversaciones con otra gente, he concluido—y admito corrección—que, como sea que queramos llamarlo, la clave recae en estar completamente comprometidos, sin reservas, con Jesucristo.

La realidad de esa clase de fe nos apoya a través de todos los altibajos de la vida. En ocasiones, sentimos emociones fuertes en cuanto al Señor Jesús; en otros momentos, no. Eso es saludable. Nadie podría perdurar si permanece demasiado tiempo en un estado de gran emoción; se consumiría. Imagínate lo que sería vivir constantemente en el nivel emocional que se siente durante los últimos segundos de un juego de campeonato de baloncesto en que los equipos están empatados y tu equipo tiene el balón. Todos tenemos momentos de intensa emoción, pero nuestros sentimientos fluctúan. Independientemente de que nos sintamos extáticos, deprimidos o neutrales, en el fondo podemos conocer la realidad de Jesucristo y su regalo de paz y de satisfacción plena.

Al conocer a Jesucristo, ya no estamos sujetos a las circunstancias. No obedecemos sus altibajos. Estamos unidos al Dios vivo e inmutable. Podemos sobrepasar las circunstancias siempre y cuando sepamos que confiamos en Él y que recibamos su vida y le permitamos ejercitar en nosotros la vida que Él quiere. Por esa clase de fe, el apóstol Pablo pudo cantar mientras estaba en prisión.

No te engañes en cuanto a Pablo. Él no disfrutaba viviendo en prisiones ni recibiendo los treinta y nueve latigazos. Tales dificultades fueron devastadoras para él, del mismo modo que lo serían para nosotros. Sin embargo, con Jesucristo, descubrió aquello que le capacitó para trascender a sus circunstancias. Al depender de la vida de Cristo en él, la vida de Pablo fue una genuina experiencia de fe.

Un himno que expresa bien la realidad de vivir por fe en todas las situaciones de la vida se basa en la promesa de Jesús de su continua presencia. Él dijo: "No te desampararé ni te dejaré" (Hebreos 13:5), "Y yo estoy con vosotros todos los días, hasta el fin del mundo" (Mateo 28:20). Según nos apropiamos de esta promesa básica y vivamos en su luz, podemos compartir la auténtica vida de fe que proclama este escritor:

Tomo tu promesa, Señor, en toda su extensión,
alcance y plenitud, como mi fortaleza diaria,
para mirar al futuro sin temor,
porque tú, Jesús, estás conmigo todos mis días.

Puede que vengan días de oscuridad y pena
cuando el pecado tiene el poder de tentar y la intención
de presionar;
aún así, en mi día más oscuro, no temeré
porque, aun en las sombras, Tú estarás cerca.

Vendrán días de gozo y gran delicia
cuando la tierra se ve hermosa y sus cielos brillantes.
Atráeme más cerca de ti, no vaya a ser
que vaya a descansar en otro regazo que no sea el tuyo.

Y los demás días que componen mi vida,
sin gozo, angustia ni lucha especial,
días llenos de tareas sencillas y cuidados triviales,
cargas demasiado pequeñas para que otros las compartan,

pasa Tú esos días conmigo, todo será tuyo,
y la hora más oscura brillará con tu gloria.
Y cuando hayan pasado mis días en la tierra,
déjame estar contigo en ese día perfecto.[5]

5   Traducción libre basada en: H. L. R. Deck, "I Take Thy Promise, Lord," *Hymns,* ed.
Paul Beckwith (Chicago: InterVarsity Press, 1947), pág. 6.

PREGUNTAS PARA EL ESTUDIO INDIVIDUAL O EN GRUPO

1   Paul Little describe la vida cristiana como una "batalla victoriosa" en vez de una "vida victoriosa". Es cierto que casi todos le fallamos al Señor una y otra vez. Si esta es tu situación, ¿cómo matizó esto tu lectura del capítulo?

2   ¿Por qué crees que Paul Little incluyó un capítulo sobre la fe en un libro sobre evangelización?

3   "Tenemos la tendencia de cambiar el "chip" en nuestro pensamiento –un "chip" subconsciente, quizás, pero devastador. Después de comenzar nuestra vida cristiana por fe, tratamos de vivirla a través de las obras." (pág. 185). ¿Por qué nos atrae más vivir por obras que vivir por fe?

4   A la luz de Hebreos 11 en su totalidad, ¿cómo definirías la fe?

5   Una definición de fe es "visualizar lo que Dios quiere lograr en una situación y actuar dentro de sus planes". ¿Cómo vivieron conforme a esta definición de la fe las siguientes personas: Abraham (Hebreos 11:8-10), los padres de Moisés (v. 23) y Rahab (v.31)?

6   El autor señala que "Casi todos nosotros pedimos a Dios ciertos regalitos… Pero Dios no nos provee un paquete de amor o de gozo o de paz… Él nos ha dado todo lo que necesitamos en nuestro Señor Jesucristo." (pág. 186) ¿Cómo es posible que, al tener a Jesús en tu vida, Él supla todas tus necesidades?

7   ¿Dónde estarías hoy si nunca te hubieras encontrado con Jesucristo? ¿Puedes usar esto como evidencia objetiva de que Jesús está trabajando en tu vida? ¿De qué forma?

8   Paul Little dice: "Lo que merece nuestra atención no es la fe en sí, sino el objeto de nuestra fe" (pág. 190). "La vida de fe, día a día, es sólo una continuación de nuestro reconocimiento del Cristo

vivo y resucitado." (pág. 189) ¿Cómo moldearía esta verdad tus actitudes y acciones en las siguientes situaciones?:

- Te estás quedando en un hotel que tiene al menos un canal pornográfico en todos sus televisores.

- Tu jefe se está comportando de forma muy grosera en una comida de negocio que tú preparaste para un cliente.

- ¡El niño que estás cuidando no se quiere dormir!

- Tienes un/a novio/a que siempre está desafiando los límites sexuales que te has propuesto.

9   El autor sugiere que "recordar lo que Dios ha hecho en el pasado aumenta nuestra confianza para enfrentarnos a los problemas nuevos." (pág. 191) Lee Filipenses 4:6-7. Una versión de la Biblia lo expresa de esta manera: "No os afanéis por nada: más bien orad por todo. Presentad ante Dios vuestras necesidades y después no dejéis de darle gracias por sus respuestas. Haciendo esto sabréis vosotros lo que es la paz de Dios." Toma un momento ahora para agradecer a Dios por una *respuesta similar* en el pasado antes de pedirle que supla una *necesidad actual*. ¿Te resulta más claro que Dios conoce tus necesidades y se ocupa de ellas? Procura tener presente este principio durante la próxima semana.

10   ¿En qué se diferencia la *fe* del *fatalismo* (pág. 192)? ¿Por qué es importante esta distinción?

11   ¿Por qué las respuestas de Dios a veces difieren de lo que nosotros le sugerimos?

SUGERENCIAS PARA UN LÍDER DE GRUPO

1   Permite que los participantes compartan cómo pusieron en práctica el estudio de la semana anterior. Podéis discutir por qué lo lograron o por qué fracasaron.

2. Prepárate para responder ante la variedad de respuestas a la primera pregunta. Algunos necesitarán aliento; otros, una advertencia (ver págs. 113-114).

10 ALIMENTAR LA FUENTE

Dicen que el carácter es lo que uno hace cuando nadie lo ve. A la mayoría de nosotros nos preocupa bastante lo que otros ven. Escogemos con cuidado qué decir y qué hacer en entornos sociales y planificamos qué clase de impresión queremos dejar; no nos preocupan tanto nuestros pensamientos y actos cuando estamos solos. No obstante, es en esos momentos cuando surge nuestro verdadero carácter. Bajamos la guardia y nos relajamos. Entonces sí que somos nosotros mismos, tal cual.

Paul Tournier escribió un libro muy útil y perspicaz llamado *El personaje y la persona* (Publicaciones Andamio), en el que comenta las discrepancias entre quiénes somos en nuestro interior y la apariencia que damos a los demás. A esta dicotomía, él la llama la diferencia entre la *persona* y el *personaje*. En circunstancias normales, nuestro grado de sanidad mental es mayor, cuanto más se asemeje lo que aparentamos ser a lo que realmente somos. Mientras más se aleje nuestro personaje de nuestra persona, más problemas tendremos con nuestra salud mental, pues parte de nuestra vida se convierte en una mentira.

EL "YO" SECRETO

A través de todas las Escrituras, Dios enfatiza que nuestro verdadero yo es el yo interior, el secreto, el que aparece cuando estamos solos. Y Dios conoce perfectamente nuestro mundo interior. Él le recordó a Samuel la importancia de la vida interior, cuando le envió a ungir como rey a uno de los hijos de Isaí. A Samuel le pareció que Eliab era ideal -era alto y guapo-, pero el Señor le dijo: "No mires a su parecer, ni a lo grande de su estatura, porque yo lo desecho; porque el Señor no mira lo que mira el hombre; pues el hombre mira lo que está delante de sus ojos, pero el Señor mira el corazón" (1 Samuel 16:7).

Dios nos evalúa conforme a nuestro corazón, a nuestra vida interior, ese centro de nuestra personalidad que incluye el intelecto, la emoción y la voluntad. El autor de Hebreos afirma lo mismo: "No hay cosa creada que no sea manifiesta en su presencia; antes bien, todas las cosas están desnudas y abiertas a los ojos de aquel a quien tenemos que dar cuenta" (4:13).

Estas palabras son de las más alentadoras –y, a la vez, aterradoras- de toda la Biblia. Nos aseguran que Dios siempre entiende. Nuestros mejores amigos no siempre nos entienden. A veces, sin intención, malinterpretan alguna palabra o motivo, y esto provoca tristeza. Pero Dios conoce toda la verdad. Podemos confiar en Él, porque nos conoce perfecta y completamente. Esto implica, además, que ante Él no podemos fingir. A veces, me da miedo pensar que lo sabe todo de mí, incluso más de lo que yo mismo sé. El Dios vivo me ve como soy cuando estoy solo, desnudado de mis apariencias.

Debemos contemplar nuestras vidas secretas -las que nadie ve, sino sólo Dios- desde dos perspectivas: una positiva y una negativa. Moisés habla del aspecto negativo en el Salmo 90:8 (NVI): "Ante ti has puesto nuestras iniquidades; a la luz de tu presencia, nuestros pecados secretos." Esta declaración nos revela tres datos importantes.

1. Todos tenemos pecados secretos.

Moisés menciona específicamente *nuestras* iniquidades, *nuestros* pecados secretos. No excluye a nadie. Para algunos, nuestro pecado secreto puede ser el orgullo oculto: eso que nos infla y nos hace pensar que somos mejores, más inteligentes, más amorosos, más atractivos y más importantes de lo que realmente somos. Puede ser el autoengaño, que nos mueve a justificar nuestra conducta y a pensar que toda nuestra frustración, queja e indignación es comprensible y justificada.

Puede ser la falta de honestidad, que esconde parte de la verdad o actúa o habla con la intención de crear una falsa impresión.

Puede ser un apuro egoísta, el descuido en el manejo del tiempo y de talentos, una incapacidad de amar como Dios nos ama. Puede ser anhelar algo o alguien que está fuera de la voluntad de Dios para nosotros. Puede ser amargura contra alguien, un rencor que nos carcome y nos destruye, así como el gusano hirió la calabacera de Jonás. Puede ser la trampa o la impureza. Sea lo que sea, Dios conoce todos nuestros pecados. No podemos esconderlos de su mirada. Más bien, necesitamos reconocer y aceptar la realidad de nuestros pecados delante de su presencia.

2. Los pecados secretos al final se exteriorizan.

Los pecados visibles son el fruto que nace de la raíz de los pecados ocultos, que suelen ser pecados de intención. Esto me aterra. Nuestro Señor habló de esta condición crítica del ser humano cuando intentó explicarles a los fariseos que el pecado no necesariamente es externo. En esencia, lo que dijo fue: "Vosotros no entendéis. Lo que contamina al hombre no es lo que entra; no es lo que otros ven que hace o deja de hacer. Es de dentro, del corazón de los hombres, que salen los malos pensamientos, las impurezas y todas estas otras cosas. El hombre está contaminado desde adentro" (ver Marcos 7:14-23).

El pecado secreto que sólo sabemos nosotros siempre precede a algún pecado externo que será evidente a los demás. Santiago nos dice: "Cada uno es tentado, cuando de sus propios malos deseos es atraído y seducido. Entonces los malos deseos, después que ha concebido, da a luz el pecado; y el pecado, siendo consumado, da a luz a la muerte." (Santiago 1:14-15) A través de toda la Biblia, encontramos ejemplos de esto: el robo de Acán fue resultado de un corazón avaro. El adulterio de David comenzó en su imaginación. Ananías y Safira revelaron su engaño interno al mentirle a Dios. En cada caso, el pecado existía ya dentro de la persona mucho antes de que se manifestara mediante un acto externo.

¿Sabías que el fracaso en la vida cristiana nunca ocurre de golpe? Siempre es un desgaste paulatino. Tal vez, le hacemos un comenta-

rio hiriente a alguien: eso es externo; pero el trasfondo es un temperamento que no ha sido renovado. Detrás de cualquier pecado que
mencionemos, hay una actitud interna imperfecta, un pecado secreto.

Me pregunto si hay algún desgaste paulatino en mi vida en estos
momentos. ¿Y en la tuya?

3. Debemos darnos cuenta de que todos nuestros pecados secretos están delante de Dios.

Si los tenemos, Él los ve, aunque nosotros mismos no nos demos
cuenta de ello. Si no somos conscientes de nuestro pecado, podemos
abrir nuestro corazón y nuestra mente a Dios y pedirle que nos muestre
si hay pecado escondido en nuestra vida. Podemos confiar en Él:
¡siempre nos responderá!

Debemos empezar como David en su oración: "Examíname, oh
Dios, y conoce mi corazón; pruébame y conoce mis pensamientos; y
ve si hay en mí camino de perversidad, y guíame en el camino eterno."
(Salmo 139:23-24) Podemos estar seguros de que el Espíritu Santo
abrirá nuestros ojos a todo pecado que Él vea en nuestra vida. Tal vez
nos lo revele mientras meditamos sobre algún pasaje de las Escrituras, o quizás utilice el comentario de otra persona para que tomemos
consciencia del pecado. De cualquier forma, Él siempre nos señalará
el pecado para adelantar el proceso de desarrollo de nuestra santidad.

Una vez nos ha sido revelado, nos toca asumir la responsabilidad
por ese pecado en particular. Dios nunca nos revela el pecado para
abandonarnos al mismo. Él quiere que respondamos a su revelación
con nuestra confesión, el rechazo del pecado revelado y, si fuera necesario, con restitución. Dios está siempre presto a escucharnos cuando
le pedimos perdón, limpieza y poder.

Satanás, por su lado, no quiere que actuemos contra del pecado
que acabamos de descubrir ni del que repetimos constantemente. Él
se deleita en echarte en cara lo que has hecho: "¿Otra vez? No tendrás
la osadía de volver a Dios y confesarle este mismo pecado de nuevo,
¿verdad? Si acabas de confesar ese pecado ayer y prometiste que lo
ibas a abandonar. ¿Cómo piensas enfrentarte a Él ahora? Más vale

primero que mejores un poco tu patrón. O mira, espera y muéstrale que tienes la fuerza de voluntad para eliminarlo de una vez."

Estas palabras nunca vienen de parte del Señor Jesús. Dios quiere que vayamos a Él inmediatamente, tal y como estamos. Sólo Él puede lidiar con nosotros y nuestros pecados. Cuando nos redimió en la cruz mediante Jesucristo, Dios sabía exactamente cómo éramos.

Cuando la obra reveladora del Espíritu Santo nos muestra nuestro pecado, Él nos llama para que acudamos a Él en ese mismo estado, sin pretensión alguna y apelando únicamente a la sangre que Jesús derramó por nosotros.

Si le hemos pedido al Espíritu Santo que nos revele cualquier pecado específico que haya en nuestra vida y aún no lo ha hecho, no te desesperes. Al enemigo le encanta paralizarnos y evitar que rindamos un servicio eficaz. Él nos va a sugerir que somos culpables de algún pecado oculto que Dios no nos ha revelado. Satanás quiere que nos volvamos introspectivos en vez de descansar en la paz de Dios y regocijarnos por su perdón y su limpieza en el pasado y en el presente. Si nos ensimismamos, nos olvidaremos del Señor y de los demás.

Nuestro Padre quiere que reconozcamos que nuestra capacidad de pecar -y de engañarnos a nosotros mismos acerca del pecado- es casi infinita. El profeta Jeremías señaló que nuestro corazón es engañoso, más que todas las cosas, y perverso (Jeremías 17:9). No obstante, podemos depender del Señor que sigue salvando y que asume la responsabilidad de revelarnos nuestros pecados específicos. De esa manera, nos alivia de la ansiedad y la preocupación constante por nosotros mismos. Podemos centrarnos en el Señor Jesucristo, quien es la solución a todo problema de pecado, y disfrutar de la confianza relajada y despreocupada que debe caracterizar a los hijos de Dios.

Robert Murray McCheyne hizo un buen balance cuando recomendó que: "Por cada vez que te mires a ti mismo, mira diez veces a Jesucristo". No queremos vivir en una introspección morbosa como las personas que se toman la temperatura espiritual cada tres días o cada tres horas. A veces, manejamos nuestra vida espiritual como un niño que sembró una semilla y luego la desenterraba cada día para ver si estaba creciendo. Para crecer en esa comunión personal con Dios para la cual fuimos creados, es necesario encomendarle cada área de nuestra vida y luego, confiar plenamente en Él.

GUARDA Y DESARROLLA TU VIDA INTERIOR

Ya que nuestra vida interior tiene un impacto directo sobre nuestra vida externa, la Biblia nos exhorta explícitamente a guardar y cuidar esa vida interna: "Sobre toda cosa guardada, guarda tu corazón; porque de él mana la vida" (Proverbios 4:23). Nuestra vida interior determina casi todo lo que somos. Se dice que las circunstancias ni edifican ni destruyen a la persona; sencillamente, revelan quién es en realidad. Somos una acumulación de todo lo que ha constituido, día tras día, nuestra vida hasta este momento, sobre todo lo que hemos pensado, sentido y deseado.

Por eso, el salmista ha dicho: "He aquí, tú amas la verdad en lo íntimo, y en lo secreto me has hecho comprender sabiduría" (Salmo 51:6). Ahora, pasaremos a discutir el aspecto positivo de nuestras vidas secretas: la comunión personal con Dios mismo. Leemos en Santiago 4:8: "Acercaos a Dios, y Él se acercará a vosotros. Pecadores, limpiad las manos; y vosotros, los de doble ánimo, purificad vuestros corazones." Aunque, en última instancia, dependemos sólo de que Dios nos redima y nos limpie, Él nos permite participar activamente en este proceso.

Este aspecto positivo de nuestra vida interna -la búsqueda de Dios- puede ser aun más influyente que la búsqueda interna de pecado. En el sermón del monte, Jesús enseñó: "Mas tú, cuando ores, entra en tu aposento, y cerrada la puerta, ora a tu Padre que está en secreto; y tu Padre que ve en lo secreto te recompensará en público" (Mateo 6:6). La oración secreta recibe una recompensa visible del Padre. Nuestra vida secreta con Dios es la raíz del poder espiritual externo, igual que el pecado secreto es la raíz del pecado externo. Ambas son leyes espirituales inexorables.

Aunque nos parezca increíble, el Dios de la creación, quien hizo los cielos y la tierra y a nosotros, quiere tener comunión personal con cada uno. ¡Qué verdad más estupenda! Apenas logramos captar su trascendencia. A través de las Escrituras, apreciamos evidencias de personas que tuvieron esa relación íntima con el Señor. David afirmó: "Oh Señor, de mañana oirás mi voz" (Salmo 5:3). Daniel se postraba tres veces al día en dirección a Jerusalén para tener comunión con el Dios viviente, a pesar de que luego pagó las consecuencias: ¡leones! Después de un día largo y ajetreado, nuestro Señor se levantó antes del amanecer y se fue a un lugar solitario a intimar a solas con su Padre.

Dios disfruta con la adoración, alabanza y comunión de un grupo de creyentes reunidos en el nombre de Cristo. Le gusta juntarse con nosotros en la iglesia, la capilla y en los grupos de oración. Pero también le complace encontrarse con nosotros a solas. Como padre y esposo, me encanta pasar tiempo junto a toda mi familia porque la amo. Pero, además, atesoro el tiempo que puedo pasar a solas con mi esposa o con un hijo mío. En esos espacios, puedo llegar a conocer a la persona de una manera especial. Podemos confesarnos cosas el uno al otro que nos sería más difícil en un grupo. ¡Qué triste si alguno de mis familiares decidiera que no quiere pasar tiempo a solas conmigo! Seguro que así se debe sentir Dios por algunos de nosotros. Claro que le dedicamos tiempo cuando estamos en ciertos grupos, pero Él desea encontrarse con nosotros como individuos.

Imagínate que quieres darles un regalo muy especial a tus padres. Para poder comprarlo, tienes que trabajar todo el tiempo, hasta el punto de que casi no vas a tu casa. ¿Cómo se sentirían ellos? Cuando ya no pudieran soportarlo más, saldrían exclamando: "No queremos tu regalo; ¡te queremos a ti! Queremos un poco de tu tiempo." Es tan fácil ocuparnos tanto en "servir al Señor", que ya no tenemos tiempo para pasar a solas con Él. Y, sin embargo, esas horas dedicadas a estar con Él son esenciales para una vida poderosa espiritualmente.

¿Qué sucede cuando nos encontramos a solas con Dios? ¿Qué hace falta para que ese tiempo secreto con el Dios viviente genere un poder espiritual manifiesto? Dios, por supuesto, nos habla a través de su Palabra y nosotros le respondemos en oración. No obstante, muchas veces nuestra lectura de la Biblia y nuestras oraciones nos dejan insatisfechos. ¿Qué es lo que está mal?

ESTUDIO BÍBLICO

Al estudiar la Biblia, mucha gente procura descubrir datos acerca de la Biblia, incluso datos dentro de la Biblia misma. Pero la información acerca de la Palabra escrita no es un fin en sí misma. Si alguna vez has tratado de generar vida y poder espiritual mediante la disciplina de leer versículos, organizar información y hacer bosquejos, sabes que es un esfuerzo inútil. Benjamin Franklin escribió comentarios acerca de la Biblia, pero, que sepamos, nunca fue cristiano.

El propósito principal de la Biblia es ponernos en contacto con el Dios vivo en Jesucristo. Un escritor de himnos lo explicó de la siguiente manera: "Más allá de la página sagrada, te buscamos a ti, Señor." El telescopio nos ayuda a mirar a la estrella. Por supuesto que debemos entender cómo funciona el telescopio para poder usarlo, pero sería trágico involucrarnos tanto en aprender a manejar el telescopio, que se nos olvide buscar la estrella. Posiblemente, el problema de algunos con su vida devocional es que no saben distinguir entre el fin y los medios.

Tal vez piensas: "Ya he intentado esto del tiempo a solas, y fue más árido que un desierto. No logré sacarle nada de provecho." ¿Alguna vez te has sentido como un budista girando su rueda de oración, obligándote a leer diez versículos cada día sin que estos tuvieran sentido alguno para ti? Uno comienza a desanimarse: "¿De qué me sirve esto? ¿Para qué me esfuerzo tanto? Es inútil." A todos nos asaltan sentimientos así a veces. No tiene sentido cumplir con un ritual vacío. Quizás no hemos reconocido que el propósito de ese tiempo a solas es enfrentarnos cara a cara con el Dios viviente en la persona del Señor Jesucristo. O tal vez hemos perdido de vista que Él es una persona real que quiere encontrarse con nosotros. Siempre debemos acercarnos a las Escrituras con la expectativa de encontrarnos con el

Dios viviente, pues su Palabra no es un libro de texto, sino una revelación de sí mismo.

Otro problema que podemos enfrentar en nuestro estudio personal de la Biblia surge de la falta de dirección. Se dice que quien no se dirige hacia algo, se dirige hacia la nada. Si nos acercamos a nuestro tiempo devocional con el propósito de recibir algo digno de recordar, debemos tener un cuaderno y un lápiz para escribir ideas nuevas. A mí, me gusta mantener una columna para escribir maneras específicas en las que puedo aplicar una verdad. A veces, escribo una oración para pedirle al Señor que me ayude a ponerla en práctica. Me he dado cuenta de que las oraciones escritas tienen menos peticiones y mucha más adoración. Recordemos que la falta de propósito disminuye nuestro apetito por la Palabra.

Hay siete preguntas que me han ayudado bastante a dirigir mi lectura de la Biblia.

Las utilicé cuando apenas comenzaba a encontrarme con Dios todas las mañanas y todavía me refiero a ellas de vez en cuando, sobre todo si el método que estoy usando en ese momento me resulta árido o infructuoso. Si te acercas a la Palabra de Dios en oración y buscas en el pasaje las respuestas a cada pregunta, descubrirás verdades pertinentes que podrás aplicar a tu vida. Puede que alguna de las preguntas no encaje con un texto en particular, pero otras sí. Algunas incluso se pueden aplicar a cualquier pasaje bíblico. A pesar de su sencillez, estas preguntas pueden ayudarnos a evitar que pasemos volando por una serie de versículos con nuestra mente distraída, pensando en nuestro itinerario del día o en lo que nos sucedió ayer. Estas preguntas atrapan nuestros pensamientos y nos hacen enfrentarnos al Dios vivo y a su voluntad expresa.

1. ¿Hay algún ejemplo que pueda seguir?

Este pasaje, ¿me sugiere algo que debo hacer o ser hoy? En vez de leer las Escrituras como un ejercicio académico, debemos considerar siempre la verdad de Dios con la intención de moldear nuestra vida conforme a su voluntad revelada.

2. ¿Hay algún pecado que deba evitar?

Es fácil ver en la Biblia situaciones aplicables a las vidas de otras personas. ¡Lo difícil es reconocer semejanzas a los pecados de nuestra propia vida!

3. ¿Hay algún mandamiento que deba obedecer?

Muchas veces nos preguntamos cuál será la voluntad de Dios para nuestra vida y creemos que lograr discernirla es un problema difícil y confuso. ¿Sabes que el 95 por ciento de su voluntad ya está revelado? Esto puede ser un descubrimiento devastador. Dios ha revelado su voluntad en la Biblia. En esas oraciones largas e impresionantes en las que buscamos la voluntad de Dios, por lo general estamos pensando en el matrimonio o en la elección de una carrera. Sin embargo, si lo miramos desde otro punto de vista, estas dos decisiones son secundarias. Dios expresa claramente su voluntad para nuestro carácter y vida diaria. A veces, no conocemos su voluntad sencillamente porque no nos hemos expuesto a la Palabra de Dios para buscarla.

¿Hay algún mandamiento que deba obedecer? Si hemos sido desobedientes en algo que Dios ha dicho claramente, no podemos esperar que nos revele más de su voluntad. Esto pasa con mucha frecuencia. Él espera que primero obedezcamos lo que ya nos ha mostrado, porque su voluntad expresa no es opcional para nosotros. Luego, Dios nos va revelando su voluntad progresivamente, conforme a nuestra obediencia.

4. ¿Hay alguna promesa que pueda reclamar?

¿Me está dirigiendo el Espíritu Santo a través de este pasaje a alguna promesa que me puedo apropiar por fe? Algunas promesas de la Biblia, como la que encontramos en Hebreos 13:5, son incondicionales: "No te desampararé, ni te dejaré". Otras dependen del cumplimiento de una condición, por ejemplo: "Deléitate asimismo en el Señor, y Él te concederá las peticiones de tu corazón" (Salmo 37:4). Cuando buscamos las promesas, debemos observar y meditar también en sus condiciones, y luego reclamarlas en consecuencia.

5. ¿Qué nos enseña este pasaje acerca de Dios o de Jesucristo?

La aventura de la vida cristiana se asemeja mucho al matrimonio. Cuando una pareja se compromete para casarse, no se conoce realmente el uno al otro. Aunque cada persona ha intentado descubrir todo lo que puede acerca de su pareja, al cumplir un año de casados, mirarán hacia atrás y se darán cuenta de que en realidad no se conocían. Dicho sea de paso, esto es para ponerse a temblar ante la idea de casarse sin la certeza de que es la voluntad de Dios. En realidad, no hay forma de conocer bien a la persona de antemano. El proceso de conocerse el uno al otro es una de las grandes aventuras del matrimonio.

De igual manera, una de las aventuras de la vida cristiana es crecer en nuestro conocimiento personal del Señor Jesucristo. Al principio, conocemos algunas cosas de Él, suficientes como para entregarle nuestra vida y recibirlo como Señor y Salvador.

Confiamos en Él, prometemos obedecerle fielmente, pero ¡apenas lo conocemos! Cuando meditamos en su revelación y crecemos en Él, vamos conociendo más y más a Dios. Luego, a través de nuestra vida y de nuestras experiencias personales con Él, le añade sentido a esas verdades suyas que ya hemos aprendido en la Biblia, tales como su misericordia y el hecho de que Dios honra su palabra.

6. ¿Me surge alguna duda que pueda indagar?

Algunas personas buscan siempre las dudas primero y acaban ahogados por problemas y dificultades en el texto. Pronto se inventan la excusa: "Hay tantas cosas que no entiendo, que no vale la pena ni intentarlo." Cuando comemos pescado, la mayoría de nosotros le sacamos las espinas. Pero hay quienes se concentran en ellas y nunca llegan a comerse el pescado. Ya sea que estemos comiendo pescado o estudiando la Biblia, buscar las espinas no nos satisface. Debemos anotar todas las dudas que nos surjan y buscarles explicación más tarde. No debemos convertir los problemas en nuestro plato principal.

7. ¿Hay algo en este pasaje por lo cual deba orar hoy?

A algunos nos cuesta orar. Nos parece que todos los días decimos lo mismo, sólo repetimos las palabras de ayer: "Señor, bendíceme y bendice a mi madre, a Marta y a todo el mundo. En el nombre de Jesús, Amén." Si estamos alerta mientras leemos la Biblia, podemos basar nuestra oración en el pasaje que tenemos delante. La frescura de esa oración nos ayuda a descubrir el gozo de una vida dinámica de oración basada en la Palabra de Dios misma.

No todos los pasajes contienen un ejemplo que podamos seguir, un pecado que debamos evitar, un mandamiento para obedecer, una promesa que podamos reclamar, un pensamiento nuevo acerca de Dios, una dificultad que queramos indagar y un motivo de oración; pero en cada pasaje encontrarás algunos de estos elementos. Si separas quince minutos matinales mañana, o incluso hoy, para encontrarte con Dios y buscar respuestas a estas preguntas en algún pasaje de la Biblia, te garantizo que tu búsqueda será fructífera.

Otro problema al que nos enfrentamos es qué leer para lograr una dieta espiritual equilibrada. Tal vez, como muchos otros cristianos, te limitas al Salmo 23, el evangelio de Juan y algún que otro pasaje preferido. Por temor a lo desconocido, dejas que se te escape el resto de la Biblia y te pierdes muchísimos tesoros. Como cristianos que debemos entender todo el consejo de Dios, necesitamos un sistema estructurado para leer toda la Biblia. Este es el objetivo de libros como *Search the Scriptures y This Morning with God* (InterVarsity Press). La editorial Tyndale House ofrece *The One Year Bible*; es una Biblia completa estructurada en lecturas diarias que incluyen pasajes del Antiguo Testamento, el Nuevo Testamento, los Salmos y los Proverbios.[1] Hay varias Biblias como esta que te podrían ayudar. Tanto si utilizamos

---

1   N. del T. *Search the Scriptures* es una guía que te lleva a través de toda la Biblia en tres años. *This Morning with God* utiliza el método inductivo de estudio bíblico y dura casi cinco años. Ambos se consiguen a través de InterVarsity Press, <www. ivpress.com>. *The One Year Bible* (la Biblia en un año) se ha publicado en inglés en la Nueva Versión Internacional y en la paráfrasis "The Living Bible", ambas de Tyndale House Publishers, <www.tyndale.com>. Hay varias Biblias con formatos similares en español.

algún sistema ya preparado, o si diseñamos uno propio, lo importante es que sigamos algún plan.

También nos pueden acosar las divagaciones mentales y otras distracciones. El examen de física o el partido de fútbol ocupan nuestra mente de manera que no podemos concentrarnos en la lectura. Mantener un lápiz y papel a la mano nos puede ayudar con este problema, porque iremos escribiendo lo que vamos aprendiendo, todos los nuevos datos e ideas. Estas notas que escribimos en nuestro tiempo a solas con Dios se convierten en un registro de descubrimientos bíblicos frescos, personales y de primera mano. De paso, este registro nos puede sacar de apuros si alguna vez nos piden que demos un mensaje bíblico o una reflexión de quince minutos. Nuestras palabras, además, irán cargadas del poder de una experiencia genuina, pues estaremos relatando algo que descubrimos recientemente en un momento de comunión personal con Dios.

Es importante recordar que no podemos evaluar nuestro tiempo devocional conforme al sentimiento que nos ha producido. Algunos días, las palabras cobran vida y nos hablan tan contundentemente, que acabamos con una sensación de alegría y fascinación. Cuando esto sucede, pensamos: "¡Esta mañana tuve un encuentro con Dios!" Luego pasan unos días y, al leer la Biblia, no ocurre nada parecido y empezamos a sentir decepción o frustración.

La verdadera evaluación de nuestro tiempo a solas no puede estar basada en nuestras respuestas emocionales, que son tan fluctuantes. Una evaluación correcta se basa en nuestro reconocimiento de que Dios, quien es inmutable, ha venido a nuestro encuentro.

ORACIÓN

La otra parte vital de nuestra comunión secreta con Dios es la oración. Es tan necesaria como la lectura de la Biblia, para que nuestra vida interior redunde en una vivencia externa de poder espiritual. Ya hemos mencionado brevemente que podemos revitalizar y refrescar nuestra vida de oración usando las Escrituras. Ahora, debemos ser más específicos.

Creo que todos podríamos enumerar los diferentes aspectos de la oración: adoración, acción de gracias, confesión, intercesión por los demás y petición por nosotros mismos. Aun así, pocos hemos logrado dedicarle la misma cantidad de tiempo a cada aspecto. Puede que tengas -como yo- el síndrome del antojo: "Dame esto... dame aquello... Señor, necesito esto... Me hace falta lo otro..." Y quizás eres débil en la oración de adoración. Rara vez, sacamos tiempo, en silencio, solos ante su presencia, para ver y reconocer el valor de Dios. Adorar es reconocer el carácter mismo de Dios: no por lo que podamos recibir de Él y de ese reconocimiento, sino reconocerlo por lo que Él es. A quienes tenemos dificultades para adorar podemos buscar inspiración en algún himno poderoso y usar sus palabras como nuestra expresión de adoración. Cuando me siento mustio espiritualmente, suelo elegir un salmo (el 103, podría ser el caso) o un himno de los grandes creyentes del pasado. Por ejemplo:

Todo nombre glorioso de sabiduría, amor y poder
conocido por mortales, por ángeles pronunciado
no alcanza para hablar de Su valor,
no alcanza para hablar de mi Salvador.

O la expresión antigua de Bernardo de Claraval:

Oh, Jesús, gozo de los corazones amorosos,
Tú, fuente de vida, luz de los hombres,
de la máxima dicha que nos imparte la tierra,
insatisfechos nos volvemos a ti.

Al compartir las experiencias espirituales de estos santos del pasado, nuestro propio corazón se inunda de alabanza, adoración y gratitud al Dios vivo. Tal adoración hace que nos centremos en la presencia de Dios maravillados, perdidos en nuestro asombro y en lo que Tozer llamó "la mirada absorta de nuestra alma".

ESTABLECE PRIORIDADES

No puedes adorar así en los últimos dos minutos antes de salir disparado a tu clase. La mayor carencia de nuestra "sociedad del ocio" es el tiempo; nunca tenemos suficiente tiempo. En Oriente, se ha cultivado extensamente el arte de la meditación, pero incluso allí, la tecnología les está robando su tiempo a solas. No obstante, todos tenemos veinticuatro horas en cada día. Y la mayoría de nosotros tenemos cierto grado de control sobre esas horas. Normalmente, podemos encontrar el tiempo para lo que queremos hacer, aunque ello implique restárselo a otra actividad. La batalla más crucial de nuestra vida es la lucha continua por asegurar suficiente tiempo a solas en la presencia de Dios. Nuestro vigor espiritual y nuestra vitalidad en todas las demás áreas dependen del resultado de esta batalla.

De la misma forma en que Satanás usa todos los medios a su alcance para sembrar pecados ocultos en nuestra vida, también hará todo lo posible por evitar el desarrollo de una vida secreta fructífera con Dios. Nuestra cita diaria con el Dios vivo se ve constantemente amenazada por cosas inofensivas e inocuas como las tareas, una llamada telefónica, alguien que quiere que lleguemos más temprano al trabajo y tantas otras distracciones.

Durante un verano, tuve el privilegio de escuchar a John Stott, quien, en ese momento, era el pastor rector de una de las principales iglesias anglicanas de Londres. Le habló a un grupo de pastores en la gran Convención de Keswick, en el Lake District de Inglaterra. Su tema era las prioridades. Él nos señaló que la primera prioridad para todos los cristianos -incluidos los pastores- es el desarrollo de nuestra vida interior. Sin embargo, nos confesó una paradoja muy peculiar que experimenta en su propia vida:

"Aquello que reconozco que me dará el mayor gozo- estar solo y sin prisa en la presencia de Dios, consciente de su presencia, con el corazón abierto para adorarlo- es, a menudo, lo que menos me apetece hacer."

Todos somos víctimas de esta paradoja. La causa principal radica en nuestro enemigo, pues él sabe que, cuando pasamos tiempo con Dios, nuestro poder espiritual aumenta. El diablo lo intentará todo -incluso alterar nuestros deseos- para atacar nuestra fuente de fortaleza y poder. Hay mucha verdad en el dicho popular: "Satanás tiembla cuando ve que el más débil de los cristianos se pone de rodillas."

Hay quien alega que pasar un tiempo fijo con Dios cada día es algo demasiado legalista y rutinario. Es cierto que nuestras prácticas devocionales se pueden volver mecánicas o legalistas, pero no tiene que ser así. Cuando esto sucede, una disciplina saludable se convierte en atadura. Una atadura es algo que nos vemos obligados a hacer, una carga pesada y odiosa. La autodisciplina es algo que realizamos voluntariamente para evitar el dolor o asegurar un beneficio. Para crecer espiritualmente a través de una comunión en secreto con Dios, necesitamos disciplina positiva, y la necesitamos urgentemente. Yo, que he estado fuera de la vida estudiantil hace varios años, te puedo asegurar que mantener tu vida secreta con Dios no se hace más fácil después de que te has graduado. Si vas a establecer un patrón para toda la vida, este es el momento de hacerlo.

Esta regularidad disciplinada, tan esencial para nosotros, tampoco implica una rigidez absoluta. Las estrellas no se caerán del cielo si alguna vez nos saltamos nuestro tiempo devocional. Por un día que no pasemos un tiempo a solas con Dios, no debemos temer que nada irá bien, que suspenderemos todos nuestros exámenes, que todo está perdido. Dios no es un tirano que nos castiga de esa manera.

Sin embargo, Él sí espera que tomemos muy en serio nuestra vida espiritual, tanto como cuidamos nuestro bienestar físico. Nuestros cuerpos necesitan sustento y, por lo tanto, comemos todos los días. Nuestra vida espiritual necesita alimento espiritual; debemos nutrir nuestra alma cada día con la Palabra de Dios. Si no tenemos lo que necesitamos, pronto nos debilitamos. No podemos sobrevivir por mucho tiempo sin comida, tanto en nuestra vida física como en la espiritual.

Aunque nos suele preocupar más nuestra apariencia externa, Dios se interesa más por nuestra vida interior. Él quiere que nos demos cuenta de que todas las evidencias de la realidad externa de nuestra vida surgen de la realidad interna que sólo Él nos puede dar. Él sabe si el pecado escondido nos está robando nuestras fuerzas espirituales, y si estamos disfrutando de todos los beneficios de una vida secreta compartida con Él.

El principio de la realidad espiritual es el compromiso total con Jesucristo, demostrado por un deseo de obedecerle. Mantenemos y desarrollamos la vitalidad espiritual mediante la comunión diaria con Dios, lo cual redunda en obediencia y en poder espiritual.

La realidad espiritual interna que nace de una vida secreta con Dios es indispensable para poder dar un testimonio eficaz a un mundo que aún no conoce al Único que puede satisfacer todas sus necesidades.

PREGUNTAS PARA EL ESTUDIO INDIVIDUAL O EN GRUPO

1 De acuerdo con las definiciones de Paul Tournier de *persona* y *personaje* (pág. 201), ¿por qué deben ser iguales tu "persona" y tu "personaje"?

2 Dios ve tu "persona", aunque nadie más la vea. ¿Esto te da ánimo o te causa temor? ¿Por qué?

3 El autor insiste en que todos tenemos pecados secretos que conducen a pecados manifiestos, y que Dios los ve todos. Piensa en un pecado concreto que hayas cometido y trata de buscarle su raíz: la actitud interna incorrecta que lo causó.

4 Para lograr un progreso espiritual y una relación restaurada con Cristo, es necesario el arrepentimiento y pedirle disculpas a Dios. Paul Little dice que: "Nos llama a venir a Él tal como estamos, sin pretensión alguna y apelando únicamente a la sangre que Jesús derramó por nosotros" (pág. 205). ¿Alguna vez has caído en la trampa de venir Jesús con una alegación o justificación propia? ¿Cuál fue el resultado?

5 Robert Murray McCheyne nos dio el siguiente consejo: "Por cada vez que te mires a ti mismo, mira diez veces a Jesucristo" (pág. 187). ¿Cómo esta costumbre podría mejorar tu perspectiva de la vida?

6 El autor afirma que "las circunstancias ni edifican ni destruyen a la persona; sencillamente, revelan quién es en realidad" (pág. 206). ¿Estás de acuerdo con esto? ¿Por qué o por qué no?

7 El autor enfatiza que, para guardar y desarrollar nuestra vida interior a través del contacto con Cristo, debemos darle prioridad al estudio de la Biblia y a la oración. Sin embargo, podemos desviarnos fácilmente. Enumera algunas formas en las que

podemos vernos atrapados en las formalidades del estudio bíblico y la oración, y perder de vista su verdadero propósito. ¿Cómo podemos evitar esto?

8   Los libros y seminarios acerca de cómo conocer la voluntad de Dios generan muchísimo interés. Sin embargo, Paul Little nos asegura que "Dios expresa claramente su voluntad para nuestro carácter y vida diaria" (pág. 210). ¿Por qué nos parece más interesante la voluntad de Dios para nuestro futuro, que su voluntad para nuestras actitudes y conductas? ¿Cómo se relacionan estas entre sí?

9   Este capítulo sugiere algunas maneras de mantener una "dieta espiritual equilibrada" (pág. 212). ¿Es este un problema que debes vencer en tu vida? ¿Cómo lo harás?

10 "Aquello que reconozco que me dará el mayor gozo -estar solo y sin prisa en la presencia de Dios, consciente de su presencia, con el corazón abierto para adorarlo- es, a menudo, lo que menos me apetece hacer." (pág. 215). ¿Te animas a tener un tiempo definido de estudio bíblico y oración esta semana, en el que uses preguntas de estudio y un formato para la oración?

PREGUNTAS DE ESTUDIO BÍBLICO:

- ¿Hay algún ejemplo que deba seguir?

- ¿Hay algún pecado que deba evitar?

- ¿Hay algún mandamiento que deba obedecer?

- ¿Hay alguna promesa que pueda reclamar?

- ¿Qué me enseña este pasaje sobre Dios o sobre Jesucristo?

- ¿Me surge alguna duda que deba indagar?

- ¿Hay algo en este pasaje por lo cual deba orar?

Formato para la oración:

- Adoración

- Acción de gracias

- Confesión

- Intercesión

- Petición personal

SUGERENCIAS PARA UN LÍDER DE GRUPO

1 Permite que los participantes compartan cómo pusieron en práctica el estudio de la semana anterior. Podéis discutir por qué lo lograron o por qué fracasaron.

2 Si tienes tiempo, pídele a los participantes que le escriban una carta a Dios, como sugiere Paul Little en la página 209.

Made in the USA
Middletown, DE
08 December 2018